# REMEDIOS CASEROS

# REMEDIOS CASEROS

Grupo Editorial Tomo, S. A. de C. V.
Nicolás San Juan 1043
03100 México, D. F.

1a. edición, febrero 2004.

© *Home Remedies*
This edition published by Geddes & Grosset, an imprint of
Children´s Leisure Products Limited

© 1996 Children´s Leisure Products Limited,
David Dale House, New Lanark ML11 9DJ, Scotland

© 2004, Grupo Editorial Tomo, S.A. de C.V.
Nicolás San Juan 1043, Col. Del Valle
03100 México, D.F.
Tels. 5575-6615, 5575-8701 y 5575-0186
Fax. 5575-6695
http://www.grupotomo.com.mx
ISBN: 970-666-911-6
Miembro de la Cámara Nacional
de la Industria Editorial No 2961

Traducción: Joaquín Zúñiga y Marco A. Garibay
Diseño de Portada: Trilce Romero
Supervisor de producción: Leonardo Figueroa

Impreso en México - *Printed in Mexico*

# INTRODUCCIÓN

En la actualidad, tenemos la costumbre de comprar en la farmacia toda una gama de medicinas de patente cuando nos sentimos mal, o de acudir al doctor para que nos recete una medicina especialmente prescrita para nosotros. Sin embargo, este es un recurso relativamente nuevo para la historia de la humanidad, ya que la revolución de los medicamentos no tuvo gran auge sino hasta después de la Segunda Guerra Mundial, aunque por supuesto, los doctores desde siempre han empleado medicamentos.

A diferencia de los medicamentos, los remedios caseros se han empleado desde el principio de la humanidad. Existen evidencias arqueológicas que demuestran que las tribus primitivas empleaban plantas curativas.

Era muy común que aprovecharan lo que tuvieran a la mano, ya fuera para alimentarse, para mantenerse en calor o para sentirse mejor. Obviamente con el paso de los años y llevando a cabo una infinidad de ensayos y de experimentos, se encontró la cura específica para diversos padecimientos. Originalmente, estos remedios caseros se transmitían de manera oral porque no había otra forma de hacerlo; ni con la aparición de la escritura dejaron de hacerlo de este modo. Así fue como se dieron a conocer estas recetas de generación en generación.

Al establecerse el Servicio Nacional de Salud la gente tuvo la oportunidad de contar con asistencia médica gratuita, además, muchas personas se habían mudado a zonas urbanas más pobladas donde era más fácil conseguir asistencia médica y había menos dificultad para transportarse. Todo esto originó que la gente desconfiara de las curas basadas en hierbas y productos básicos.

Sin embargo, la sociedad moderna está demostrando cierto rechazo a la era tecnológica de estos tiempos, por lo que prefiere recurrir nuevamente a métodos naturales y simples y dejar a un lado lo sofisticado y sintético. La opción son los remedios caseros para curar enfermedades, y la medicina a base de hierbas se ha convertido en una rama de la medicina alternativa.

Cabe destacar que la intención de este libro es únicamente proporcionar información al lector. Por ningún motivo se debe considerar como un manual para seguir al pie de la letra. Los remedios caseros y la medicina herbolaria implican grandes riesgos, ya que algunas hierbas son tóxicas y peligrosas en determinadas ocasiones. Cualquiera que desee tomar como opción los remedios caseros deberá consultar a un especialista en técnicas modernas de medicina herbolaria.

Ninguna de las personas que colaboraron en la elaboración y publicación de este libro, son responsables del mal uso que se haga del mismo, incluyendo el apéndice de Remedios caseros para desmanchar.

# A

**Abdominal, dolor.** Ver estómago, dolor de.

**Abejera.** Ver MELISA.

**Abrasiones y cortadas**. Las abrasiones ocurren cuando la piel sufrió algún raspón o cortada.

Tradicionalmente, se empleaba canela como antiséptico para curarla; aceite de clavo para desinfectar la herida; miel como antiséptico y para acelerar el proceso de curación; y un poco de té para detener la hemorragia y proteger la herida de infecciones.

Otros remedios comunes incluían flores de caléndula machacadas y aplicadas en la superficie de la piel; jugo de cebolla aplicado del mismo modo; hojas frescas de perejil molido; hojas frescas y molidas de llantén; un té hecho con salvia, que se aplicaba por encima de la piel; hojas de romaza aplicadas directamente o como loción; hojas de geranio machacadas; y una cataplasma de raíz u hojas de consuelda.

Las flores de milenrama, flor del saúco y ulmaria también servían para este propósito, así como cataplasmas o compresas que contenían hamamelis, y un poco de lavanda cuando la persona se estuviera bañando. Más tarde se empezó a usar yodo para curar las abrasiones y heridas.

Existían otros remedios pero eran un poco menos comunes, como por ejemplo: mezclar flores de saúco con la misma cantidad de manteca. Se ponían a fuego lento hasta que las flores quedaran crujientes, cuando la mezcla hubiera espesado se ponía en un pedazo de lino como si fuera un ungüento. Si se mezclaba manteca y marrubio blanco se obtenía otro ungüento similar.

*Ver también* HEMORRAGIAS.

**Abrótano.** En una época se consideró afrodisíaco. Como es una hierba de aroma muy penetrante servía como repelente de insectos y para eliminar malos olores; normalizaba el flujo menstrual y funcionaba como antiséptico general.

**Abscesos.** Un absceso es la acumulación de pus que surge con frecuencia en las cavidades provocando inflamación.

Existen diversas curas tradicionales para los abscesos, aunque algunas son menos comunes que otras. Una de las más comunes, que también servía para desinflamar forúnculos, consistía en elaborar con pan y leche una cataplasma caliente que provocara que brotara el absceso. Otra opción era batir un huevo fresco junto con tres cucharadas soperas de harina blanca, ponerlo a fuego lento y formar una pasta blanca; colocarla en un pedazo de tela y aplicarla en la zona afectada. Este proceso tendría que repetirse cada tres horas.

También servía para este propósito una cataplasma hecha con diferentes hierbas como: álcine, consuelda, raíz de malvavisco, llantén y olmo norteamericano. Otro remedio era una cataplasma caliente de zanahorias crudas, o nabos machacados. También ayudaba una pasta de hojas molidas y cocinadas, en una pieza de tela, aplicadas sobre el absceso o forúnculo, así como poner sobre el absceso una cebolla, ya que el jugo ayudaba. El aceite de eucalipto también era efectivo.

Otro remedio tradicional, pero con muy pocas probabilidades de que alguien se animara a intentarlo consistía en hervir algunos caracoles con sal de grano y aplicar la pasta resultante sobre el absceso o forúnculo.

*Ver también* FORÚNCULOS.

**Acedera.** En casos de enfermedades con fiebre se administraba una bebida fría de acedera. La mezcla del jugo de esta planta con vinagre era un remedio contra la tiña. El cocimiento de acedera curaba la ictericia, cálculos en el riñón y hemorroides.

**Aceite de ricino.** Es uno de los remedios más antiguos que se conoce, se ha usado durante miles de años como laxante. Como su olor y sabor son particularmente desagradables, era muy difícil su ingestión. Un antiguo remedio consistía en mezclarlo con leche caliente y comer la cáscara de una naranja o de un limón o algo más fuerte como la menta, antes o después de tomarse el líquido. El aceite de ricino servía como acondicionador para el cabello, como remedio para la caspa y para evitar la caída del cabello y para quitar la irritación de los ojos causada por un cuerpo extraño.

**Aceite de oliva.** En los remedios caseros se usaba para curar males como flatulencias, acidez, indigestión, úlceras y estreñimiento; para vías respiratorias, catarro y tos seca. Servía como humectante para la piel y eliminaba el eczema, piel agrietada y aftas. Mezclado con ajo formaba un linimento que aliviaba luxaciones, reumatismo y el dolor de oído (aplicado en éste). Para limpiar heridas se aplicaba una infusión de hojas del olivo, que también funcionaba como enjuague bucal para encías sangrantes.

**Acidez.** La acidez estomacal se manifiesta con espasmos de acidez en el estómago e indigestión. Un remedio para este malestar era revolver un poco de bicarbonato de sodio en un vaso con agua caliente, otro era poner en un vaso de leche dos cucharadas pequeñas de magnesia.

En algunas ocasiones, la acidez no se curaba con antiácidos, sino con sustancias ácidas, por ejemplo, dos cucharadas pequeñas de vinagre de sidra mezclado con una de jugo de limón y una de jugo de papa.

**Acidez estomacal.** Un remedio para evitar la acidez era tomar una cucharadita de carbón de trigo acompañado de una cucharada de glicerina, antes o después de cada comida. La mezcla de jengibre, cuasia, sales de amonio y sulfito de sodio era otra opción para curar la acidez, como también tomar una cucharada de whisky con agua tibia durante las comidas. El limón, aunque es ácido, era muy efectivo para curar trastornos digestivos, entre ellos la acidez estomacal. La menta y los huevos también calmaban las molestias; se creía que las claras tenían propiedades para calmar la acidez. Otras hierbas que ayudaban eran: col cruda, té de rosas y ulmaria.

**Acné.** El acné es un malestar crónico de la piel formado por espinillas y pústulas que aparecen en el rostro y en algunas otras partes del cuerpo, generalmente en la espalda. Se trata de un desorden en las glándulas sebáceas, que se encargan de generar sebo para mantener la piel flexible y elástica. El problema surge cuando generan sebo en exceso.

Las espinillas son células muertas que adquieren un color negro y que bloquean el conducto por donde se transmite el sebo hasta la superficie. Si se infecta la glándula localizada en la base del bloqueo, entonces aparecerá un punto rojo inflamado.

El acné es muy común entre los adolescentes debido a la intensa actividad hormonal que experimentan al llegar a la pubertad. En casos severos de acné, especialmente si es desatendido, puede dejar cicatrices crónicas en el área afectada.

Otros remedios más antiguos consistían en usar para el rostro el vapor de diferentes hierbas como: álcine, flor de saúco y caléndula en cantidades iguales. La agrimonia aplicada en la superficie del área afectada también era curativa, así como el ungüento de azufre.

En la actualidad existe una infinidad de sustancias abrasivas en el mercado para remover las espinillas. Sin embargo, hay un remedio más antiguo y sencillo que consiste en colocar un pasador sobre la espinilla y presionar. Por lo general acostumbramos apretar las espinillas hasta que salgan, aunque no sea con un pasador. Se recomienda no apretar espinillas infectadas porque puede empeorar la situación.

Se dice que la alimentación también influye en la aparición del acné, aunque muchos médicos consideran que no existe evidencia al respecto. Aunque muchos remedios para curar este desorden se diseñaron para actuar internamente, existían otros, como los laxantes, que también resultaban efectivos. Otro remedio administrado por vía oral consistía en mezclar dos onzas de flores de trébol con dos onzas de partes aéreas de ortiga y dos onzas de hojas de consuelda en dos litros de agua hirviendo a fuego lento hasta que se consumiera un litro. Cada tres horas se debía tomar un vaso de este líquido.

**Adenoides, inflamación de.** Los adenoides son unos crecimientos carnosos ubicados en el interior de la nariz. Algunas veces se inflaman, por lo que un remedio tradicional era hacer una solución de sal y agua, y aspirar el líquido por la nariz. Otro remedio consistía en hacer gárgaras de agua con media cucharadita de sal. En la actualidad, este remedio se emplea para gargantas irritadas.

**Afrodisíacos.** Los antiguos tomaban miel, jengibre y cebolla porque los consideraban afrodisíacos. De hecho, se acostumbraba que los recién casados comieran sopa de cebolla en su noche de bodas. Otras plantas afrodisíacas eran el apio, el eneldo, el hinojo, el espino, la ortiga, la valeriana y los berros. Hoy en día, se cree que las ostras funcionan para tal propósito.

**Agracejo.** Esta planta también se conoce como palo de rosa. En el antiguo Egipto la mezclaban con semillas de hinojo para curar la peste. Más tarde se usó como purgante y para curar la disentería. El palo de rosa contiene barberina la cual tiene propiedades astringentes. Comúnmente se hacían gárgaras y se usaba como enjuague bucal para curar gargantas irritadas. Ayudaba también a problemas de hipertensión y de cálculos en el riñón. El agracejo es rico en vitamina C.

**Agrimonia.** En tiempos del medioevo se creía que la agrimonia tenía poderes mágicos que daban protección contra la hechicería, pero especialmente se tomaba como un remedio para curar el insomnio. La leyenda cuenta que era tan poderoso su efecto que al poner un poco de agrimonia bajo la cabeza del durmiente, éste caería en un sueño tan profundo que daría la apariencia de estar muerto y que no despertaría hasta que la planta fuera retirada.

También se pensaba que era útil para extraer astillas encajadas en la piel (por su forma similar a una aguja), y al prepa-

rarla en forma de cataplasma servía contra picaduras y mordeduras. También curaba el acné, servía como diurético y tenía
efectos benéficos para problemas de hígado, riñones y vejiga.

La usaban como expectorante en casos de tos persistente,
por medio de gárgaras, ayudaba a prevenir la diarrea, era astringente y tónico. Indudablemente, la agrimonia era una planta
tan versátil que la consideraban un remedio muy completo.

**Agripalma.** También se le conocía con el nombre de cola de
león. Los griegos administraban esta hierba, como tónico para
calmar los nervios, a las mujeres embarazadas. Esta planta
regularizaba la menstruación, problemas que surgieran durante el parto, y curaba infecciones vaginales. Se creía que
también proporcionaba longevidad si se ingería regularmente.

La agripalma ayudaba en casos de enfermedades cardíacas, epilepsia e hipotensión; servía como sedante para calmar
la histeria y los nervios excesivos.

**Agua albúmina.** Para preparar agua albúmina se batía a punto la clara de un huevo recién puesto. Ésta se agregaba a media pinta de agua fría y la mezcla se tapaba con un plato durante
una hora, hasta que la clara de huevo se disolviera. Si se de-
seaba, se agregaba un poco de sal o limón. Esta agua servía
para curar la diarrea y problemas digestivos.

**Ajedrea.** Se le conoce como un condimento, principalmente
para ensaladas, sin embargo, en la antigüedad servía como
afrodisíaco. Después se descubrió que era un buen estimulante del apetito y que curaba malestares estomacales y digestivos; servía como diurético y como expectorante, para
hacer gárgaras y curar úlceras.

**Ajenjo.** Como su nombre en inglés lo indica,[1] ayudaba a expulsar lombrices de los intestinos. Los primeros herbolarios usaban esta planta como diurético y antídoto contra el veneno; además funcionaba como antiséptico y estimulante del apetito.

**Ajo.** El ajo es un remedio muy antiguo, se le conoce desde la antigüedad por curar infecciones y se utiliza tanto el bulbo como la planta. En la actualidad se usa frecuentemente para sazonar los alimentos, y algunas personas toman píldoras de ajo como complemento alimenticio.

Se usaba de muchas formas para curar enfermedades del sistema respiratorio, como gripa, influenza, bronquitis, infecciones del pulmón y gargantas irritadas. También funcionaba para descongestionar y expectorar, por lo que ayudaba a curar el asma y la tos; además ayudaba a sanar enfermedades del sistema digestivo y a eliminar parásitos y lombrices. Ayudaba a mejorar la digestión y purificaba el sistema digestivo.

Tenía propiedades para curar enfermedades del hígado, reducir la presión arterial, regular los niveles de azúcar en la sangre y evitaba la formación excesiva de coágulos. Cuando se aplicaba machacado y macerado en aceite, o como ungüento, aliviaba heridas, picaduras, mordeduras, tiña, articulaciones inflamadas, reumatismo, luxaciones, infecciones en el pecho y dolor de oídos.

**Albahaca.** La mayoría de nosotros sólo utilizamos la albahaca como una hierba para cocinar, pero desconocemos sus propiedades medicinales. También se le conoce como albahaca dulce. En la Edad Media, la usaban para calmar dolores en

---

[1] *Wormwood.- Worm* = lombriz, *wood* = madera.

mujeres parturientas y para extraer el veneno de picaduras de alacrán. Algún tiempo después se le descubrieron más propiedades para curar otros padecimientos como náuseas, vómito, cólicos estomacales y estreñimiento.

Los dolores de cabeza disminuían con un poco de albahaca y también ayudaba contra el insomnio, el vértigo, el mareo y desórdenes nerviosos leves, por lo general se administraba como infusión y se creía que esta hierba tenía la capacidad de incrementar la producción de leche materna. El aceite de albahaca servía para curar picaduras y mordeduras de insectos, y heridas e irritaciones leves de la piel.

**Álcine.** Era expectorante, curaba la bronquitis, servía como laxante y aliviaba el dolor ocasionado por reumas y artritis. Los síntomas de periodos menstruales molestos se curaban con esta hierba, al igual que algunos problemas de la piel, heridas, golpes, quemaduras y abrasiones.

*Álcine*
*Se usaba para curar la bronquitis.*

**Alcohol.** A los enfermos de pleuresía, que se encontraban en las primeras etapas de la enfermedad, se les daban baños de alcohol para que pudieran transpirar en mayor cantidad.

El alcohol también se usaba como astringente para detener el sangrado de heridas y para prevenir infecciones. Como también ayuda al fortalecimiento de las células de la piel, se usaba para curar úlceras por inactividad y pezones sensibles por amamantar al bebé. También se aplicaba como linimento para aliviar reumas y artritis; se aplicaba en las encías y dientes para calmar el dolor de muelas.

**Alerce.** La corteza interna del alerce tenía propiedades medicinales y por lo tanto, varias aplicaciones. Se usaba como diurético, para el tratamiento de cistitis y bronquitis, era un buen expectorante, detenía hemorragias internas y servía como antídoto contra algunos venenos. Externamente, se usaba como tratamiento para el eczema y la psoriasis.

*Alerce*

**Alheña.** También se le conoce como perejil de mar. Es rico en vitamina C y lo usaban como diurético y estimulante.

**Aliso.** La corteza y las hojas de aliso contienen ácido tánico, y se usaban comúnmente como tónico y astringente. Se hervían, y el líquido resultante se aplicaba sobre áreas inflamadas; especialmente se usaba para desinflamar la garganta.

**Alholva.** Los primeros herbolarios pensaban que las hojas maceradas de alholva colocadas sobre la cabeza evitaban el mareo. En el siglo XVII, a las mujeres que acababan de dar a luz se les recomendaba que mantuvieran las piernas abiertas para recibir el vapor de una infusión de hinojo; esto servía para que pudieran expulsar toda la placenta.

Más tarde comenzó a usarse como expectorante, como tónico y para hacer gárgaras. Aplicado externamente curaba heridas, úlceras y forúnculos.

**Almorranas.** *Ver* HEMORROIDES.

**Alopecia.** *Ver* CALVICIE.

**Alumbre.** Comúnmente se usaba en Francia como tratamiento contra sabañones en las manos. Un pequeño pedazo de alumbre se disolvía en agua caliente, después, el paciente metía las manos en la mezcla y se las cubría con guantes. Así debía mantenerlas toda la noche y lo que aguantara del día. El alumbre también ayudaba a disminuir la transpiración excesiva.

**Amapola.** En un principio se usaba como sedante, ya que calmaba el nerviosismo excesivo, la ansiedad, la histeria y el insomnio. El opio y la morfina derivan de la amapola. También funcionaba para calmar la tos, bajar la fiebre e inducir la transpiración. En algunos casos curaba la diarrea y la disentería.

**Amoniaco.** El amoniaco se ha usado como remedio para el resfriado desde la antigüedad hasta nuestros días, por medio de inhalaciones, al igual que el mentol. Para eliminar el exceso de transpiración de los pies era conveniente lavarlos con amoniaco, especialmente entre los dedos. Para pies cansados se recomendaba rociarlos con agua, amoniaco y ron de laurel. También se usaba para aliviar picaduras de hormigas, jejenes y mosquitos.

**Ampollas.** Si se aplicaba una cataplasma de col sobre las ampollas disminuía la molestia, al igual que con hojas de romaza maceradas. Para ampollas en los pies se recomendaba hacer una mezcla de ácido salicílico, almidón y esteatita pulverizada, la cual se ponía en los calcetines o en los zapatos. Este remedio también daba resultado para pies hinchados.

**Anagalis.** En los antiguos remedios caseros se decía que alguien podía saber qué hora del día era con tan sólo ver una anagalis, ya que las flores de esta planta se abrían en la mañana y se cerraban en la tarde. Este sistema dejaba de funcionar si llovía porque las flores permanecían cerradas. Se decía que tenían el poder de alegrar a las personas y quitarles la depresión. Como un remedio más común, servía como diurético. Debían usarse las dosis adecuadas porque podía provocar intoxicación.

**Anemia.** También se le conocía como falta de sangre, ya que es una enfermedad que se caracteriza por la falta de glóbulos rojos o hemoglobina, provocada por una producción deficiente de glóbulos rojos o por pérdida excesiva de sangre. Una de las curas más comunes para la anemia consistía en un té de ortiga (la cual es rica en hierro, al igual que la romaza amarilla), endulzada con un poco de miel; otra opción era el té de diente de león. También ayudaban las infusiones de hierbas como: alfalfa, centaura menor, raíz de diente de león, escaramujo de rosa, berro, romaza amarilla, consuelda, angélica, agracejo, alholva, fumaria, hierba de San Juan y verbena. Otros productos que contienen hierro y que servían para tratar la anemia son: las zanahorias, el trigo, la col, las cebollas y las manzanas.

**Anémona silvestre.** Esta planta era muy común en los remedios tradicionales. Se usaba para curar, básicamente, enfermedades respiratorias como asma, bronquitis y tosferina.

También ayudaba a mejorar trastornos digestivos y algunos problemas nerviosos.

**Angélica.** Se creía que esta planta tenía poderes mágicos, y uno de ellos era el de proporcionar protección contra los poderes del mal. Hoy en día es muy frecuente que se emplee cristalizada para decorar pasteles, pero en la antigüedad era un elemento básico para los remedios caseros. Las raíces de la angélica servían para prevenir infecciones. En 1665, cuando la Gran Plaga o peste afectó a gran parte de la población londinense, muchos habitantes masticaban raíces de angélica porque creían que así estarían a salvo de contraer la enfermedad.

*Angélica*

Esta planta también se utilizaba para estimular el apetito, para curar la indigestión y disminuir las flatulencias. Debido a sus amplios poderes, servía como expectorante, ayudaba a curar resfriados y fiebre, tos, gargantas irritadas, influenza, bronquitis, dolores musculares y sabañones, y además ayudaba a tratar problemas de las vías urinarias y del riñón. Se consideraba que también servía para problemas de la visión y sordera.

**Ansiedad.** Las siguientes plantas se caracterizaban por tener propiedades tranquilizadoras para los nervios: melisa, calamento, manzanilla, clavo, espino, lúpulo, lavanda, flores de lima, flor de azahar, pasionaria, escutelaria, tomillo, valeriana, verbena y betónica.

**Antídotos.** *Ver* ANTÍDOTOS CONTRA ENVENENAMIENTO.

**Antídotos contra envenenamiento.** Una receta antigua para preparar un antídoto consistía en mezclar una cucharadita de sal común y una de mostaza en grano en un vaso con agua tibia; esto debía tomarse rápidamente para inducir el vómito. Después debían tomarse las claras de dos huevos y mucho café concentrado.

El llantén y el alerce eran dos antídotos muy comunes en los remedios caseros; al igual que las claras de huevo batidas con leche o el aceite de ricino. Los romanos usaban el limón como antídoto para cualquier veneno, y los primeros herbolarios usaban la gariofilea.

**Antisépticos.** En los remedios caseros había infinidad de hierbas que funcionaban como antisépticos, entre las que se encontraban la gariofilea, la hierba de Santa María, el ajo, el roble, el tomillo, la violeta y la vulneraria.

**Apio.** También se le conoce como apio silvestre. En un principio se usaba como diurético, después se descubrió que también servía para curar la gota, la artritis y el reumatismo. Servía también como estimulante del apetito y disminuía las flatulencias. Funcionaba como tónico, para levantar el estado de ánimo de las personas deprimidas, para calmar los nervios, curaba la histeria y el insomnio, además, se decía que tenía poderes afrodisíacos.

**Arándano.** Esta fruta madura y sus hojas tenían diferentes usos en los antiguos remedios tradicionales. La fruta servía como diurético en caso de retención de líquidos y también ayudaba a curar desórdenes en las vías urinarias, diarrea, disentería, trastornos digestivos y escorbuto. Las hojas del arándano tenían las mismas propiedades que la gayuba.

**Árbol de Tila.** Los antiguos herbolarios elaboraban un té por medio de la destilación de las flores de tila; éste era un remedio para curar la epilepsia. Esta planta también servía para curar la hipotensión, algunos trastornos nerviosos, catarro, tos, dolor de cabeza, fiebre y alergias.

**Artemisa.** También se le conoce como estragón francés. Actualmente se usa como condimento, pero antes se usaba como un ingrediente con propiedades medicinales. Curaba desórdenes digestivos, estimulaba el apetito, quitaba las náuseas y las flatulencias.

**Aristoloquia.** La raíz de esta planta, en un principio se usaba para despejar residuos después del nacimiento de un bebé, pero también daba buenos resultados para aliviar la gota y el reumatismo.

**Árnica.** Al árnica también se le conoce como tabaco de montaña o dorónico. Era y sigue siendo comúnmente aplicada en forma de loción o cataplasma para sanar golpes y luxaciones. También acostumbraban a ingerirla y funcionaba como diurético y estimulante, sin embargo, algunas veces ocasionaba irritación estomacal y severos casos de envenenamiento.

**Artritis.** La artritis es una enfermedad dolorosa ocasionada por inflamación en las articulaciones, su tratamiento es complicado, y muchos de los remedios actuales tienen efectos secundarios.

En la medicina herbolaria existían diversos remedios, y como era de esperarse, algunas eran cataplasmas. Una de éstas se preparaba con hojas frescas de zuzón, otra, con leche, avena y mantequilla. La col también disminuía la inflamación, al igual que las flores y las hojas de la borraja. La receta para un linimento que se aplicaba directamente en articulaciones adoloridas consistía en mezclar algunos clavos o tomillo con alcohol. También servía poner sobre la articulación hojas frescas maceradas de menta; en China aplicaban el aceite de eucalipto del mismo modo.

Las infusiones hechas con una taza de madreselva o semillas de mostaza en una pinta de agua eran una buena opción. Otra, un poco más complicada, consistía en mezclar agrimonia, trébol de pantano, lampazo y milenrama, en cantidades iguales y añadir un cuarto de hojas de frambuesa, se incorporaba a determinada cantidad de agua hirviendo hasta que el líquido se consumiera a la mitad, se dejaba reposar y se colaba.

La prescripción era tomar un vaso de esta infusión cada tres horas.

Canela, berros, vinagre, manzanas, zanahorias, puerros, cebollas, nabos, perejil, diente de león, hojas de ortiga, romaza, caléndula, jugo de limón y pepino, ayudaban a curar la artritis. Otras hierbas que se utilizaban para disminuir los síntomas eran: aliso, lengua de cambrón, álcine, salvia, consuelda, muérdago, ulmaria, ruda, pirola y ajenjo.

Los baños con sales de Epsom una o dos veces por semana disminuían el dolor en las articulaciones.

**Asma.** El asma es un problema de las vías respiratorias. A los asmáticos se les dificulta respirar de manera normal, sufren espasmos musculares que les impiden expulsar las flemas por medio de la tos. En esta época se ha demostrado gran interés para curar el asma, aunque como ya es sabido, no es una enfermedad reciente.

Algunos remedios caseros ayudaban a disminuir los síntomas del asma, por ejemplo en el campo, los asmáticos tenían la costumbre de tomar una pinta de agua y baños de agua fría, ambos por la mañana. No todos los remedios eran con agua simple, también daba resultado el agua de manzana, cuya receta se especifica en manzana.

Otro remedio sugería que el enfermo bebiera el líquido resultante de hervir una onza de orozuz en rebanadas, en un cuarto de litro de agua, cuando estuviera a punto de sufrir un fuerte ataque de asma. Otra opción era beber cada mañana y noche una pinta de leche bronca.

La infusión de agrimonia también era muy recomendable. Preparada con una onza de ajo rebanado y macerado en un litro de agua hirviendo, era otra opción para los asmáticos. Se dejaba reposar durante doce horas, se colaba, se le agregaba azúcar y debía tomarse una cucharadita de este líquido.

Otro remedio consistía en hervir en vinagre cantidades iguales de semillas de alcaravea y de hinojo, se agregaba un poco de ajo, se dejaba enfriar, se colaba y se añadía miel; también debía tomarse una cucharadita. Un poco de tomillo picado, o jugo de limón diluido en agua antes de alguna comida, o un poco de vinagre de sidra, eran algunas opciones efectivas. Se consideraba que el té de romero aliviaba el espasmo bronquial característico del asma.

Se recomendaba que los asmáticos comieran zanahorias, ya que facilitaban la expectoración. El llantén, la salvia y el eucalipto también tenían propiedades expectorantes, la ortiga ayudaba a eliminar la congestión de los bronquios al igual que la mirra.

Una cocción de semillas de perejil, que aunque se caracteriza por sus poderes para relajar los músculos, también se usaba para problemas de asma; el tomillo tenía la habilidad de relajar los bronquios y ayudar a expulsar las flemas, y la flor del saúco además ayudaba a calmar los espasmos. También se les aconsejaba a los asmáticos que inhalaran el vapor de hojas de manzanilla en agua hirviendo.

Con respecto a los alimentos, se sugería que comieran frutas maduras, cocinadas, hervidas o asadas; si al pan con mantequilla se le untaba un poco de ajo, esto tenía grandes propiedades para ayudar a los asmáticos. Algo menos apetitoso consistía en hacer una madeja de telarañas y comérsela. Otras hierbas que se usaban para tratar esta enfermedad eran lampazo, rábano picante, perejil, gordolobo, valeriana y el marrubio blanco.

**Asperilla.** Era una planta diurética, por lo cual, curaba enfermedades del riñón y del hígado. Funcionaba como tónico para trastornos cardíacos y calmaba el dolor de estómago. En la Edad Media colgaban estas ramas en las paredes para aromatizar el ambiente con su fragancia.

**Azufre.** El azufre era un ingrediente muy popular en los remedios caseros; la mezcla de una cucharada pequeña de azufre, una de vinagre, y una clara de huevo batida era un remedio efectivo contra la difteria. Los baños con azufre se recomendaban para quitar la comezón, enfermedades de la piel y tiña. La caspa se eliminaba con una mezcla de azufre y agua; el cuero cabelludo y el cabello se empapaban con este líquido.

# B

**Belladona.** Es una planta extremadamente venenosa. Era muy popular por sus poderes para hacer parecer envenenamiento accidental o hasta provocar la muerte. Calmaba el dolor, mejoraba problemas de ciática, reumatismo, juanetes y dolor de muelas; funcionaba como sedante, bajaba la fiebre y servía como diurético. Los problemas de la vista mejoraban con un poco de belladona, la cual hacía que las pupilas se dilataran.

**Berros.** Los herbolarios recomendaban comer berros para fortalecer la salida del cabello. Como eran altamente ricos en hierro, curaban la anemia y estimulaban el apetito; como expectorante, curaban el asma y la bronquitis. También funcionaban como diurético para aliviar desórdenes en las vías urinarias, en el hígado y en el riñón. Además, los berros calmaban los nervios, estimulaban el flujo menstrual e incrementaban la producción de leche materna y la fertilidad. Aplicados en cataplasma curaban heridas, forúnculos, úlceras, aftas y sarna. La infusión de berros desinflamaba las hemorroides, alergias, y las gárgaras aliviaban el dolor de muelas.

**Betónica.** Se conocía que esta planta silvestre tenía poderes contra el mal y la hechicería. Una de las leyendas cuenta que si se plantaba betónica en el jardín de una iglesia, donde hubiera alguien enterrado, los espíritus de los muertos no se aparecerían por la noche.

La betónica se usó desde hace miles de años como antídoto contra mordeduras de serpiente y ayudaba a la recuperación contra mordeduras de perros rabiosos. Otra teoría destacaba que aliviaba la borrachera sin necesidad de usar complementos de hierro. Más tarde se descubrieron otras propiedades de la betónica; se usaba como tratamiento para curar la neuralgia, los dolores de cabeza, acidez estomacal, hipertensión, cálculos biliares e infecciones del riñón. La betónica servía como tónico, sedante y evitaba la transpiración excesiva y la expulsión de flemas con sangre. Por lo general se tomaban infusiones de betónica, pero cuando se usaba externamente servía para curar forúnculos, aftas y heridas.

**Bilis.** Cuando a alguien se le derramaba la bilis se le recomendaba tomar un vaso con agua caliente y unas gotas de limón antes de dormir, o si no, tomar una taza de café con jugo de limón y una pizca de sal, ayunar durante 24 horas y comer únicamente manzanas crudas durante las siguientes 24 horas.

Las sales de Epsom también servían como remedio, al igual que lavar el estómago con grandes cantidades de agua y tomar purgantes. Se recomendaba hacer ayuno después de llevar a cabo estos remedios.

**Boca de dragón.** Según los remedios populares, esta planta servía para ahuyentar a las brujas y a los poderes del mal. Las hojas frescas, maceradas y aplicadas como cataplasma curaban úlceras y tumores.

**Bolsa de pastor**. Esta planta se usaba para curar enfermedades del riñón o para estabilizar la presión baja; estimulaba el flujo menstrual, detenía hemorragias nasales, curaba heridas y diarrea. Como ungüento curaba la inflamación provocada por sabañones.

**Borraja.** En la época medieval se creía que la borraja proporcionaba valor y ayudaba a mejorar el estado de ánimo de las personas. Se usaba para diferentes fines como para regularizar las palpitaciones y reactivar la energía durante periodos de convalecencia, también ayudaba a facilitar la transpiración y a eliminar la orina en caso de retención, disminuía los síntomas de infecciones respiratorias, servía para descongestionar y para expulsar las flemas.

La borraja servía para el tratamiento de gargantas irritadas, bronquitis y traqueitis. La cataplasma de borraja aplicada con un pedazo de tela envuelta en una articulación adolorida, disminuía los síntomas de artritis y gota, y la cataplasma hecha con hojas de borraja aliviaba enfermedades de la piel, tales como eczema y tiña.

En forma de gárgaras y como enjuague bucal ayudaba a aliviar garganta irritada, laringitis y encías sangrantes. A las madres en periodo de lactancia se les recomendaba que comieran semillas y hojas de borraja para incrementar su producción de leche.

**Brionia.** Ver BRIONIA BLANCA.

**Brionia blanca.** Se destacaba por sus propiedades afrodisíacas, y los romanos la usaban para protegerse de los relámpagos. Era muy importante usar las dosis adecuadas, porque aunque era un ingrediente muy común en los remedios caseros las raíces eran muy tóxicas y podían provocar vómito y dolores gástricos; el fruto de esta planta es venenoso. Servía como **purgante, para limpiar vías respiratorias y enfermedades**

como bronquitis, neumonía, influenza, tos, malaria y problemas cardíacos causados por gota y reumatismo.

*Brionia blanca*

**Bronquitis.** Había muchas hierbas que servían para curar la bronquitis, tales como: angélica, borraja, cañutillo, alcaravea, perifollo, álcine, fárfara, consuelda, hinojo, margaritas, alholva, ajo, hiedra, centinodia, orozuz, rubia, mirra y mejorana. Otras hierbas adicionales para un tratamiento efectivo contra la bronquitis eran: gordolobo, cebolla, perejil, llantén, prímula, salvia, ajedrea, verónica, tomillo, berros y marrubio blanco. Para finalizar con esta lista, también daban buen resultado la canela, la miel, el jengibre, el té, el eucalipto, las zanahorias y los nabos.

**Bugle.** Ayudaba a reducir el flujo de periodos menstruales abundantes y a la cicatrización de heridas. También aliviaba síntomas de enfermedades cardíacas y bronquitis.

**Buglosa.** La buglosa era efectiva para expulsar las flemas en caso de enfermedades respiratorias, también funcionaba como diurético, para quitar la fiebre, para desinflamar y para calmar los nervios.

# C

**Cabeza, dolor de.** Una antigua superstición inglesa sugería un método de evitar los dolores de cabeza, en vez de proponer un remedio para curarlo. Esta receta sugería que cualquier cabello que se hubiera arrancado o caído por accidente, no debía ser desechado descuidadamente. El riesgo que se corría por tirar un cabello era que un pájaro lo recogiera para hacer su nido. Si el dolor se adquiría de esta manera o de cualquier otra más común, había muchos remedios para aliviarlo. Las infusiones eran muy efectivas, como las de flores de lima, de romero seco, de manzanilla o de betónica.

Otra solución más elaborada consistía en hervir centaura menor, matricaria y manzanilla en agua hasta que el líquido se consumiera a la mitad; después se agregaba un poco de ruibarbo. También era efectivo el remedio de fárfara hervida en agua y endulzada con un jarabe de azúcar y agua. Debía tomarse una taza de esta infusión, y como era un remedio tan versátil, también servía para curar resfriados, tos y vértigo.

Los griegos y los romanos calmaban el dolor de cabeza con menta, y algún tiempo después se descubrió que las curas internas de canela, manzana, miel, romero, manzanilla, romaza, lavanda, melisa y ulmaria eran muy efectivas. Otras hierbas que quitaban el dolor de cabeza eran: angélica, albahaca, betónica, matricaria, poleo, hierba de San Juan, valeriana, y gaulteria. Aplicadas externamente, las hojas frescas de saúco quitaban el dolor de cabeza, como también la papa cruda, las cataplasmas de col y de cebolla, el aceite de clavo, de lavanda o vinagre frotado en las sienes. El aceite de clavo también servía como inhalante.

En el siglo XV, elaboraban una mezcla de verbena, betónica y ajenjo, y con esto se empapaban la cabeza varias veces por semana para evitar que les doliera. Otra solución para evitar dolores de cabeza consistía en mezclar sal, vinagre, agua y brandy; otra sugería empapar una toalla con agua muy caliente y enredársela en la cabeza para aliviar rápidamente el dolor.

**Cabello.** Existían muchas maneras de mejorar la apariencia del cabello. Lavarlo con huevo o con aceite de ricino (como acondicionador) daba muy buenos resultados, así como aplicar una infusión de hojas frescas de ortiga, o jugo de perejil fresco, el cual daba brillo al cabello. Como tónico funcionaba la infusión de lampazo frotada en el cuero cabelludo o la de flores de manzanilla aplicada al cabello dos veces a la semana. La infusión de salvia, romero, madreselva y llantén con un poco de miel, mejoraba la salud del cabello; la infusión concentrada de salvia servía como tónico y para eliminar la caspa.

Para evitar la caída del cabello había diversos remedios caseros. Uno de ellos consistía en batir unos huevos, aplicarlos en el cuero cabelludo y dejarlos así durante toda la noche; la infusión de salvia también impedía la caída del cabello. El aceite de romero diluido y frotado en la cabeza, el aceite de ricino, el enjuague de milenrama, la mezcla de boj, romero y malvavisco en agua hirviendo también daban buenos resultados.

Asimismo, la infusión de queroseno diluido en agua servía como remedio contra la caspa y se decía que retardaba la aparición de canas, si se aplicaba antes de que hubieran salido. *Ver también* CALVICIE y CASPA.

**Calambres.** *Ver* DOLOR ABDOMINAL y MENSTRUACIÓN.

**Calamento.** A los gatos les atrae mucho esta hierba porque contiene un fuerte olor característico. En la medicina herbolaria lo usaban para curar cólicos, flatulencias, diarrea y malestares estomacales. También aliviaba síntomas de bronquitis, resfriados, influenza, anemia e inducía la menstruación. En algunas ocasiones daba resultado para aliviar trastornos nerviosos e insomnio, y empleado de manera externa curaba cortadas, golpes y úlceras.

**Cálculos.** Las fresas se usaban para el tratamiento de cálculos biliares. Una mezcla que también era efectiva era la de aceite de oliva con jugo de limón; el jugo de papa cruda, diente de león, menta, agracejo; achicoria, centinodia y rubia, eran otras buenas opciones para disolver cálculos biliares.

**Caléndula.** Esta planta ayudaba a eliminar los síntomas de la gota, la hidropesía, disminuía la fiebre y las hemorragias internas y externas.

También ayudaba a regularizar la hipotensión, servía como laxante, como sedante suave, evitaba la formación de pus en las heridas y curaba úlceras y várices. Aplicada como cataplasma servía para quitar el dolor y para disminuir la hinchazón provocada por piquetes de insectos, especialmente de avispas. Curaba alergias, verrugas, inflamación o quemaduras en la piel, desinflamaba los ojos y ayudaba en casos de conjuntivitis.

**Callos.** La infusión o las flores maceradas de caléndula eran un antiguo remedio para curar los callos; el aceite de ricino y el jugo de celandilla eran otras dos buenas opciones. La mezcla de jugo de celidonia, de zanahoria y un poco de sal, o las hojas de hiedra maceradas eran otras buenas opciones.

**Calvicie.** Había diversos remedios tradicionales diseñados para prevenir y detener la calvicie, se sugería que también siguieran estas recetas las personas que sufrieran de alopecia, o sea, de calvicie sólo en algunas partes de la cabeza.

Uno de estos remedios indicaba que debía lavarse el cabello una vez por semana con una solución preparada con agua, yema de huevo y corteza de quillay. Se recomendaba que el interesado se aplicara este remedio en periodos en que su salud no fuera estable, ya que supuestamente era cuando se caía el cabello.

Para estimular los folículos capilares se hacía una mezcla de vinagre con unas gotas de cantárida. Esto servía para lavar el cabello y dar masaje al cuero cabelludo. Otra recomendación era preparar una mezcla de jugo de cebolla y miel, la cual se frotaba todos los días por la mañana y por la noche. Las mezclas de glicerina o de aceite de oliva con agua de cal daban buenos resultados, sobre todo cuando el cabello mostraba indicios de adelgazamiento.

Para aquellos en quienes la calvicie ya era evidente se intentaba un remedio que trataba de revivir las raíces del cabello que quedaba en la cabeza. Consistía en cepillar el cuero cabelludo hasta que estuviera rojo y tibio, y después aplicar una o dos veces al día una loción de aceites de lavanda y de romero, agua de colonia y tintura de cantáridas. De manera alternativa, se le daba masaje al cuero cabelludo con una mezcla de aceite de oliva y romero.

**Cambrón.** La corteza del aliso cambrón era muy efectiva para curar el estreñimiento crónico y las hemorroides, y en Inglaterra el aliso cambrón era más común que el cambrón. Esta planta servía como diurético, purgante y para curar golpes.

**Canela.** Servía para estimular la circulación y para curar la gripa, catarro y enfermedades respiratorias, especialmente cuando se manifestaban con fiebre. También funcionaba para aliviar diarrea, flatulencias, cólicos, náuseas, hemorragias nasales, periodos menstruales abundantes y dolores musculares.

Aplicada con compresas servía como antiséptico para heridas, abrasiones, picaduras y problemas de la piel. También era efectiva para eliminar los piojos.

**Cardíacos, problemas.** Un remedio para aliviar algunos síntomas de enfermedades cardíacas consistía en hacer una infusión de hojas secas de espino y miel. Otro se hacía con hojas de centaura menor hervidas en cerveza, el líquido se colaba y se endulzaba con miel; debía tomarse tres veces al día.

Otras plantas que ayudaban a curar enfermedades eran: espárragos, butterbur, hiniesta, bugle, pimpinela, escrofularia, lirio del valle, agripalma, frambuesa, viperiana, asperilla, té, zanahorias, cebollas y aceite de oliva.

**Cardo Santo.** Se usaba para curar estómagos delicados, estimulaba el apetito, evitaba las náuseas aunque en dosis excesivas inducía el vómito; también ayudaba a expulsar lombrices intestinales. Esta hierba purificaba la sangre, mejoraba la circulación, bajaba la fiebre, inducía el flujo menstrual e incrementaba la producción de leche materna.

**Casis.** El casis es un arbusto cuyas hojas, fruta, corteza y raíz se usaban comúnmente para preparar remedios caseros. Servía como diurético en casos de retención de líquidos, bajaba la fiebre, disminuía la hinchazón y desinflamaba las hemorroides. Lo usaban también como tónico y para hacer gárgaras.

**Caspa.** Un tratamiento para eliminar la caspa era empapar el cabello con la siguiente solución: una onza de azufre disuelto en un litro de agua. Otra opción era preparar un ungüento de azufre con lanolina.

La milenrama servía como acondicionador, eliminaba la caspa y prevenía la caída del cabello. El aceite de ricino frotado en el cuero cabelludo tenía los mismos efectos; el shampú de ortiga eliminaba la caspa; la infusión de salvia aplicada por las noches daba muy buenos resultados. Posteriormente, se descubrió que el queroseno con agua, en partes iguales, funcionaba como una solución anticaspa que se aplicaba todas las mañanas y las noches en el cabello, durante unos cuantos días.

*Ver también* CABELLO.

**Cataplasmas.** Las cataplasmas eran muy efectivas para curar diversos males, especialmente la inflamación.

Curaban el dolor en las articulaciones, ganglios inflamados, enfermedades en vías respiratorias o en el pulmón. Por lo general era un poco complicada su preparación. Una cataplasma era un líquido espeso y caliente, que se untaba en un pedazo de tela para aplicarlo en la piel. Se podían hacer cataplasmas de casi cualquier cosa; y se preparaban conforme lo que se requiriera.

Una cataplasma muy popular era la que se preparaba con pan. Para elaborarla se ponía a hervir agua con bastantes migajas de pan y se mezclaba hasta que se formaba una pasta suave; en un pedazo de tela se untaba una capa gruesa de la cataplasma y se aplicaba sobre la piel. La mostaza también era un ingrediente básico para hacer cataplasmas. Para preparar una de ellas se mezclaba mostaza en polvo con agua fría o vinagre hasta adquirir la consistencia adecuada, esto se untaba en un pedazo de tela o en papel estraza.

El problema con las cataplasmas de mostaza es que algunas veces, en personas de piel delicada, causaban ampollas. Por eso se recomendaba que no se aplicaran directamente sobre la piel, sino que se pusiera de por medio un pedazo de muselina.

La receta de otra cataplasma de mostaza consistía en mezclar una medida de mostaza por cuatro de harina de linaza. Por otro lado, se mezclaba más mostaza con agua hirviendo. Después se incorporaban ambas mezclas y el resultado se aplicaba en la piel.

También se hacían cataplasmas de linaza sin mostaza. Se hacía una pasta espesa añadiendo harina de linaza en un poco de agua hirviendo en un poco de agua mientras se agitaba. La pasta se extendía en un pedazo de tela. Se aconsejaba sumergir un pedazo de muselina para impedir que se pegara en la piel.

La cataplasma de levadura se preparaba mezclando una onza de harina común con una onza de harina de linaza y una pinta de levadura. Esta mezcla se calentaba y se removía cuidadosamente antes de untarla en el pedazo de tela. La cataplasma de carbón se hacía con la mezcla de migajas de pan, agua hirviendo, carbón de madera pulverizada y harina de linaza. Se incorporaban bien todos los ingredientes y se aplicaba de la manera acostumbrada. La cataplasma de melaza no era tan común. Su preparación consistía en mezclar una onza de harina con media pinta de melaza; revolver constantemente y cuando estuviera tibia se untaba en el pedazo de tela y se aplicaba.

Las cataplasmas se hacían con infinidad de plantas y vegetales. La cataplasma de berros servía para curar heridas o forúnculos inflamados, la de rebanadas de papa cruda se aplicaba a heridas y llagas, y la de manzana cruda y rallada curaba úlceras. La cataplasma de col aliviaba heridas, úlceras y forúnculos. La de zanahoria aceleraba el proceso de curación de heridas y forúnculos. Las de berros, cebollas, nabos, bardana y consuelda remediaban diversos malestares. Finalmente, la cataplasma de hojas y flores de borraja, curaba algunas enfermedades de la piel.

**Catarro.** La miel con limón era un remedio muy común para el catarro, al igual que la mezcla de jugo de limón, canela y agua caliente. La infusión de flores de saúco, menta y milenrama se creía que también era efectiva.

Fárfara, gordolobo, tomillo y milenrama formaban un té que servía como remedio para el catarro. Otra opción era calentar una pinta de leche junto con nuez moscada, macís, canela y azúcar hasta que soltara el hervor. Después se agregaban dos vasos de vino blanco o de jerez, se volvía a calentar la mezcla y se revolvía hasta que espesara. Un remedio inhalado, hecho con café tostado, mentol y azúcar, hasta formar un polvo, era otro buen remedio. Por lo general, o por lo menos así se creía, los intestinos estaban relacionados con casi cualquier enfermedad, por lo que para el catarro también se recomendaba tomar algún laxante

A continuación se presenta una lista de plantas y vegetales que se usaban para curar el catarro: canela, jengibre, clavos, manzanilla, romero, salvia, tomillo, rosa, lavanda, borraja, melisa, pimienta, té, vinagre, hamamelis, aceite de oliva, cebollas, puerros, ajo, berros, jugo de nabos, saúco, llantén, milenrama, caléndula, mirra, ortiga y eucalipto.

**Cebada.** En la Grecia y la Roma antiguas acostumbraban usar la cebada para aumentar la vitalidad y fortalecerse. Es fácil digerirla, además de ser muy nutritiva, y como era más común prepararla era en sopa o atole. Para trastornos digestivos y estomacales como cólicos, diarrea, estreñimiento, falta de apetito y nervios era muy efectiva. También preparaban agua de cebada para malestares en las vías respiratorias, ya que se decía que ayudaba a los pulmones, al dolor de pecho y a aliviar la tos seca; curaba además otros males como la cistitis y enfermedades en vías urinarias.

El procedimiento para hacer el remedio consistía en agregar una cucharadita de cebada perlada en una pinta de agua hirviendo, las cantidades podían variar. Cuando el agua se consumiera, se agregaba una pinta y media más de agua, después se ponía a fuego lento, se colaba, y se agregaba un poco de azúcar y limón.

Las cataplasmas se elaboraban con harina de cebada, y éstas servían para desinflamar la piel.

**Cebolla.** Desde hace mucho tiempo se conocen las propiedades medicinales de la cebolla, una de ellas era antiséptica y prevenía la infección en las heridas. También mejoraba la circulación, disminuía la hipertensión, evitaba la formación de coágulos y curaba la anemia. En el caso de enfermedades respiratorias aliviaba resfriados, catarro, bronquitis, sinusitis, gargantas irritadas y fiebre. Era un buen remedio para problemas digestivos como estreñimiento y flatulencias, curaba algunas enfermedades del hígado, tenía propiedades diuréticas y calmaba el dolor de la artritis. El jugo de cebolla, aplicado externamente, curaba quemaduras, picaduras, mordeduras de insectos, cortadas, forúnculos, abscesos, verrugas, dolor de muelas y de oído. La cataplasma de cebolla eliminaba los sabañones, y al inhalarla se quitaba el dolor de cabeza; también tenía propiedades afrodisíacas.

**Cenizo.** A esta planta también se le conoce como ceñiglo, y pertenece a la familia de la espinaca. Es rica en hierro y en la antigua medicina herbolaria se usaba para curar la anemia y como laxante. Por lo general se administraba en forma de infusión cuando la planta estaba seca.

**Centaura menor.** Era efectiva para curar problemas de mala digestión y falta de apetito, también servía como tónico y calmaba los nervios.

**Centinodia.** También se le conoce como cenizo. Se usaba para detener hemorragias internas y flujos menstruales abundantes. Las hemorragias nasales se detenían aplicando a la nariz un poco de jugo fresco de centinodia. También curaba la diarrea, la disentería, la bronquitis, enfermedades de los pulmones, ictericia, hemorroides, tenía propiedades para disolver cálculos renales y biliares.

**Ciática.** Un remedio antiguo para curar la ciática consistía en quemar vainas de frijoles hasta que quedaran hechos ceniza, después se mezclaban con manteca sin sal y se formaba un ungüento; esto se aplicaba a las áreas afectadas por la ciática. Otra opción era estimular el área afectada con una rama de ortiga. Esto servía como contrairritante y mejoraba la circulación sanguínea. El aceite de manzanilla diluido y untado en las articulaciones adoloridas también proporcionaba alivio, al igual que comer huevos y bayas de saúco.

Otras hierbas que ayudaban a curar la ciática eran: hiniesta, hiedra, terrestre ombligo de Venus, hierba de San Juan y gaultería.

**Clavel.** También se le conoce como clavellina. Se usaba como diurético, bajaba la fiebre e inducía la transpiración.

**Clavo.** Especialmente se usaban para calmar el dolor de muelas y dientes, ya que tiene la propiedad de adormecer el área dolorida. También servía para mejorar la digestión, quitar las náuseas, calmar los nervios y la ansiedad excesiva, y ayudaba a quitar la depresión. Tenía propiedades para curar resfriados y enfermedades de vías respiratorias, ya que era expectorante, bajaba la fiebre, curaba la fiebre del heno, la diarrea y las flatulencias.

El clavo también ayudaba a inducir la transpiración. El aceite de clavo fortalecía los músculos del útero durante las contracciones del trabajo de parto, si se untaba un poco en las sienes quitaba el dolor de cabeza, sanaba heridas, cortadas, tiña y quitaba el dolor de articulaciones.

**Coágulos sanguíneos.** El jengibre y la pimienta de cayena servían para prevenir la coagulación sanguínea excesiva. El ajo y el aceite de oliva reducían el riesgo de que se formaran coágulos. Se decía que la cebolla tenía propiedades para adelgazar la sangre y disolver coágulos, y la hiniesta servía como anticoagulante.

**Col.** En la Roma antigua se consideraba que la col era un remedio muy completo porque curaba muchas enfermedades. Se usaba como tónico y antiséptico, y para curar desórdenes estomacales, también para purificar la sangre y el sistema, era diurético, curaba síntomas de artritis, úlceras, acidez estomacal e infecciones respiratorias.

La col también servía para calmar los nervios, para enfermedades del hígado, como tratamiento para los alcohólicos y la resaca. Aplicada externamente servía para suavizar, limpiar y curar la piel; ayudaba a disminuir el dolor o comezón de mordeduras, picaduras, ampollas, úlceras y aftas. Como cataplasma servía para desinflamar forúnculos, descongestionar el pecho y desinflamar articulaciones.

**Cola de caballo.** Se usaba para curar infecciones del riñón, de la vejiga, en vías urinarias, problemas de la próstata y digestivos. Ayudaba a la cicatrización de heridas, úlceras y sabañones.

**Cólicos.** Una buena forma de calmar los cólicos era bebiendo una infusión de betónica hervida en vino blanco. También se usaban para este mismo propósito el perejil, la menta, la manzanilla, la canela, la salvia, el tomillo, la ulmaria, el jugo de papas crudas, la col, la zanahoria y la glicerina.

**Comezón.** Un antiguo remedio para detener la comezón consistía en impregnar de cocaína un pedazo de mantequilla de cacao; ésta se frotaba sobre el área con comezón. En la piel quedaba una capa de mantequilla que se derretía con la temperatura corporal; esto era lo que quitaba la comezón. Otro remedio era una loción de ácido carbólico o una de bicarbonato de sodio.

*Ver también* PICADURAS Y MORDEDURAS.

**Consuelda.** También se le conocía como soldador de huesos ya que era muy útil para que el hueso sanara después de una fractura, pero también servía para calmar la tos, por lo que también se le administraba a los enfermos de asma y tuberculosis. Curaba la disentería, la anemia, servía como tónico, para hacer gárgaras; aplicada como cataplasma curaba abrasiones, heridas, golpes, venas varicosas y dolor en las articulaciones.

*Consuelda*

**Cortadas.** *Ver* abrasiones.

tes. *Algunas sustancias naturales que disminuían el ni-*

# D

**Debilidad.** Es muy común que un paciente se sienta débil después de una enfermedad larga, por lo que había varios ingredientes para aliviarla: avena, trigo, leche, canela y ají de cayena. Tenían propiedades para fortalecer al enfermo la col, los nabos, la ortiga, el romero, la milenrama, la lavanda y el hamamelis.

**Dentición.** El agua de eneldo se administraba a los bebés que estaban dentando, especialmente cuando la dentición provocaba cólicos o flatulencias. Algunas veces se mezclaba con magnesia.

**Depresión.** En los remedios caseros curaban la depresión con avena, mostaza, clavo, romero, cardamomo, rosa, romaza, milenrama, tomillo, lavanda y melisa.

**Desangramiento.** *Ver* ANEMIA.

**Desmayos.** El romero y la lavanda eran buenos remedios para los desmayos, al igual que inhalar menta, cuando estuviera ocurriendo el desmayo.

**Diabetes.** Algunas sustancias naturales que disminuían el nivel de azúcar en la sangre y por lo tanto, ayudaban a los enfermos de diabetes, eran la avena, las manzanas, la col, las cebollas, el diente de león y el lampazo.

**Diarrea.** A continuación se presenta una lista muy extensa de productos que curaban la diarrea: miel, canela, jengibre, limón, manzana, huevo, té, cebada, clavo, ajo, puerros, zanahoria, manzanilla, salvia, escaramujos de rosa, ortiga, romaza, caléndula, tomillo, milenrama, espino, ulmaria, menta, hamamelis, eucalipto, agrimonia, gariofilea, mejorana, salvia, olmo norteamericano, acedera, té de hojas de frambueso y una mezcla de harina.

**Diente de león.** Las hojas y la raíz de esta planta eran de los ingredientes básicos de la medicina herbolaria. Su principal uso era como diurético, pero también servía como laxante, tónico, estimulante del apetito, digestivo, curaba la gota, el reumatismo, la artritis, la indigestión, la ictericia, la hepatitis, infecciones en la vesícula biliar y pecho congestionado. Era un buen remedio contra el insomnio, la anemia, la mala circulación, la diabetes, el dolor de cabeza, la fatiga y la irritabilidad. El jugo del diente de león se aplicaba sobre las verrugas y también se usaba para curar problemas leves de la piel.

**Difteria.** Un remedio antiguo sugería hacer gárgaras con jugo de limón cuando se empezaran a manifestar síntomas de difteria. Para curar la enfermedad, la lavanda era un buen remedio, por sus propiedades antisépticas y antibacteriales, en algunos casos también se usaba la romaza amarilla.

**Digestión.** Existían diversas sustancias naturales que servían para mejorar la digestión como jengibre, canela, menta, mostaza, manzana, cebada, ajo, cebolla, perejil, cardamomo, manzanilla, diente de león, lampazo, ortiga, salvia, tomillo, romero, milenrama y lavanda. También ayudaban la melisa, el espino, el eucalipto y la mirra.

**Digestivos, problemas.** Aunque el jugo de limón es una sustancia muy ácida, en algunas ocasiones servía para curar trastornos digestivos. Otras alternativas eran el jugo de papa cruda, el jengibre, el vinagre de sidra, la mostaza blanca, la avena, la menta, el aceite de oliva, la manzanilla, la caléndula, la melisa y la ulmaria.

**Digital.** Las hojas de esta planta ayudaban en caso de enfermedades cardíacas, ya que incrementaban la actividad de los músculos del corazón. Eliminaban la retención de líquidos, por lo que se usaba para curar la hidropesía y padecimientos de riñón. También funcionaba como tratamiento para la epilepsia, inflamación, *delirium tremens* y hemorragias internas. Si no se administraba la dosis adecuada, podía causar envenenamiento.

**Disentería.** Las infusiones de leche con canela en polvo, o de vinagre diluido en agua, eran dos remedios tradicionales de la medicina herbolaria. Las semillas de romaza también daban buenos resultados para curar la disentería.

Otra infusión que era efectiva se elaboraba con leche, nuez moscada, granos de pimienta, clavo, canela y corteza de roble. La manzana rallada y cruda, la miel, el tomillo, la ulmaria, el hamamelis, y las hojas de eucalipto ayudaban a curar los síntomas de la disentería.

Otro remedio muy común consistía en machacar ajo y calentarlo, después se remojaba un trapo en el ajo y se ponía en el ombligo hasta que el ajo se enfriara. Este tratamiento se repetía dos o tres veces.

**Dispepsia.** *Ver* INDIGESTIÓN.

**Distensión.** La manera más común de curar una distensión muscular era con vinagre y hamamelis; también se usaba el té de salvia aplicado con compresas o como linimento. La cataplasma o ungüento de consuelda también aliviaba este malestar.

**Diuréticos.** Los diuréticos son sustancias que facilitan la salida de la orina. Muchas sustancias naturales ayudaban a eliminar la retención de líquidos como: berros, limón, trigo, puerros, zanahorias, cebollas, nabos, pepinos, diente de león, perejil, llantén, lampazo, ortiga, ajo y romaza amarilla.

Los antiguos herbolarios contaban con una gama inmensa de plantas con propiedades diuréticas, y al igual que las mencionadas, las siguientes plantas ayudaban a solucionar el problema de retención de líquidos: romero, rosa, caléndula, milenrama, lavanda, junípero, tomillo, espino, borraja, saúco, ulmaria, agrimonia, árnica, espárrago, gayuba, belladona, arándano, dulcamara, casis, eupatorio, cambrón, lampazo, caléndula espinoza, calamento, perifollo, vara de San José, hierba cana, hisopo, ombligo de Venus, lirio del Valle, rubia, lechuga silvestre, mejorana, amapola blanca, acedera, verónica, zuzón, cardo santo, verbena y milenrama.

**Dulcamara.** Tanto las ramas como la raíz de esta planta se usaban comúnmente en la medicina herbolaria. La empleaban como diurético, para enfermedades del riñón, desórdenes de la piel, catarro, bronquitis, asma y tosferina.

# E

**Eczema.** El eczema es un padecimiento de la piel manifestado por enrojecimiento, comezón, escamas y exudación. Algunos remedios internos eran: té de caléndula, de romaza, de berros o de limón con miel y pimienta de Cayena, y algunas curas que se usaban externamente eran: el agua de berros, que se rociaba sobre las áreas afectadas, o la cataplasma de zanahoria, el aceite de oliva y la glicerina.

Los baños de vinagre y agua disminuían la irritación y suavizaban la piel; el jugo de pepino desinflamaba; y las cataplasmas de lampazo, caléndula, melisa, borraja y raíz y corteza de saúco curaban este padecimiento.

**Eméticos.** Un emético es una sustancia que induce el vómito. Los eméticos se usaban en caso de indigestión severa o de envenenamiento, y uno de ellos consistía en dar al enfermo una cucharadita de mostaza inglesa diluida en un vaso de agua tibia. La mezcla de sal y vinagre, o ambos ingredientes por separado también funcionaban como eméticos.

Hay muchas plantas que son eméticos naturales como la lengua de sierpe, la mostaza negra de saúco, el cardo santo, la verbena y el vino de Ipecicuana, el cual se administraba a niños principalmente.

**Encías sangrantes.** El hamamelis, la borraja, el romero y la ulmaria servían como enjuague bucal para aliviar encías sangrantes. Las infusiones de raíz o de hojas de consuelda, el té helado o el té de hojas de oliva eran otras buenas opciones.

**Eneldo.** Generalmente el eneldo se usa para sazonar recetas de cocina, pero en la antigüedad servía como afrodisíaco y para las pócimas de amor. Para malestares más comunes, ayudaba a eliminar las flatulencias, los cólicos y la indigestión, y se creía que era un buen estimulante del apetito y de la producción de leche materna. Además, mucha gente lo usaba como refrescante del aliento y para curar la halitosis.

**Envejecimiento.** Durante mucho tiempo el ser humano ha luchado por encontrar el elixir de la juventud, sin embargo, la única realidad es que todos viviremos el proceso de envejecimiento, a menos que tengamos una muerte prematura. Este proceso se hace más evidente en unas personas que en otras. Anteriormente se usaban diversos métodos tradicionales para tratar de retardar este proceso. En China utilizaban el ginseng para alcanzar la longevidad y para mejorar la memoria de los adultos mayores. En Europa se acostumbraba tomar un té de consuelda con cierta regularidad para preservar la salud en la gente mayor.

Se creía que el jengibre retardaba el proceso de envejecimiento, y hace relativamente poco tiempo se demostró que contiene propiedades antioxidantes. Se pensaba que el romero ayudaba a mejorar la memoria, que con el paso del tiempo se va perdiendo. En la medicina ayurvédica se considera que la mirra rejuvenece el alma y el cuerpo y que también da marcha atrás al proceso de envejecimiento.

Investigaciones recientes han demostrado que muchos productos con los que se elaboran estos antiguos remedios caseros y que se han usado durante tanto tiempo, contienen grandes cantidades de antioxidantes, que neutralizan a los destructivos radicales libres, ayudan a curar algunas enfermedades degenerativas y retardan el proceso de envejecimiento. Algunos de estos productos son: limón, papas, germen de trigo, zanahorias, aceite de oliva, jengibre y romero.

**Envenenamiento por comida.** El ajo y el aceite de ricino eran buenos remedios para cuando alguien sufría envenenamiento por comida.

**Epilepsia.** La epilepsia es una enfermedad caracterizada por espasmos repentinos. La lavanda servía como remedio para tratar la epilepsia, al igual que la melisa o la digital. Había un remedio bastante curioso para la epilepsia y consistía en hacer que el enfermo descendiera arrastrándose, con la cabeza por delante, por tres pares de escalones, tres veces al día durante tres días seguidos.

Antiguamente se pensaba que la epilepsia surgía como resultado de practicar la hechicería, y para los creyentes de esto había un remedio que consistía en llenar una botella de litro con alfileres y colocarla junto al fuego hasta que se calentara. La intención de esta receta era ahuyentar al espíritu malo que ocupaba el cuerpo del enfermo; supuestamente los alfileres picaban tanto el corazón del espíritu, que sería tal el dolor que le causaría, que dejaría de molestar al enfermo.

Por su supuesta relación con la brujería, siempre había hechizos para curar la epilepsia, como el que requería fabricar un anillo con la plata recolectada de las limosnas de la iglesia.

**Escaldaduras.** *Ver* QUEMADURAS y ESCALDADURAS.

**Escarlatina.** Un remedio para curar la escarlatina era una solución ligera de agua con vinagre y eucalipto, que además era antiséptico y bajaba la fiebre. También la pimienta ayudaba a aliviar esta enfermedad.

**Escrofularia.** Era otro remedio que se consideraba cura-todo. En un principio se usó para curar la escrófula (enfermedad de la piel) y en general todas las enfermedades de la piel. Después se descubrió que era una planta diurética y un laxante suave; ayudaba en casos de enfermedades cardíacas, y desinflamaba golpes. Por lo general se preparaban infusiones con las flores o con la raíz seca de la escrofularia.

**Escupir sangre.** Se decía que el té de salvia con miel o de llantén detenía el sangrado. Un remedio muy desagradable para curar este mal consistía en mezclar jugo de llantén con deyecciones pulverizadas de ratón. Esto se tomaba antes de dormir y antes del desayuno.

**Escutelaria.** Durante el siglo XVIII, los herbolarios recomendaban tratar con escutelaria a quien hubiera sido mordido por un perro rabioso, por eso a esta planta también se le conocía como "perro loco",[2] y también porque en un principio se usó para tratar enfermos mentales. Esta planta ayudaba a curar trastornos nerviosos, incluyendo estremecimientos e histeria; también servía como cura contra el tétanos, convulsiones, espasmos musculares e hipertensión. Si se usaba una dosis excesiva podía causar somnolencia; indudablemente servía para curar el insomnio.

**Espalda, dolor de.** Un antiguo remedio para aliviar el dolor de espalda sugería hacer una cataplasma caliente de semillas

---

[2] En inglés *Mad dog* - perro loco.

de anís y hojas de ortiga, y aplicarla sobre el área adolorida de la espalda. Otro remedio consistía en dar masaje a la espalda con aceite de consuelda.

*Ver también* CIÁTICA.

**Espárragos.** El espárrago es un vegetal que se usa generalmente para cocinarlo o ponerlo en ensaladas, sin embargo, ya que su tallo es muy carnoso contiene muchas propiedades medicinales. En primer término se usaba como laxante y diurético, también ayudaba en casos de problemas de riñón, gota, dolores reumáticos, como sedante y para problemas cardíacos. La raíz del espárrago se preparaba como infusión, el jugo resultante era lo que se tomaba. Los primeros herbolarios consideraban que también curaba la impotencia.

**Espinillas**. *Ver* ACNÉ.

**Espino.** En un principio se usaba para alejar los poderes del mal y la brujería. Las adolescentes se aplicaban en la cara el rocío que aparecía en esta planta la mañana del primero de mayo; se decía que esta receta mejoraba la tez. Algunas personas creían que el olor del espino era afrodisíaco, pero lo

*Espino*

que sí era seguro es que servía como tónico, estimulante, y diurético para enfermedades como hidropesía y enfermedades del riñón. También se les recomendaba a las personas que tuvieran presión baja, garganta irritada o sabañones.

**Estomacales, problemas.** Para solucionar problemas estomacales las siguientes hierbas eran muy efectivas: angélica, albahaca, alcaravea, centaura menor, achicoria, consuelda, hinojo, ajo, hierba cana, ombligo de Venus, centinodia, caléndula, mejorana, ulmaria, ruda, olmo norteamericano, verónica y artemisa.

**Estómago, dolor de.** Desde hace mucho se cree que aplicar calor al dolor abdominal o cólicos da buenos resultados, por eso se recomendaban los fomentos calientes. Estos se preparaban con una franela u otra tela remojada en agua hirviendo, se eliminaba el exceso de agua y se colocaba la franela en el abdomen. Los paños calientes se tenían que remojar con mucha frecuencia, ya que se enfriaban muy rápido. Se recomendaba que cada vez que se remojara la franela, se colocara sobre el abdomen del paciente una franela o algodón seco para evitar escalofríos. El salvado caliente también se usaba en algunas ocasiones. Aplicar calor era el remedio que daba mejores resultados, o por lo menos proporcionaba alivio al enfermo. Otra técnica para curar el dolor de estómago, consistía en poner sobre el abdomen una botella llena de agua caliente, o remojarla en ésta.

Algunas hierbas que aliviaban el dolor eran: menta, perejil, tomillo, salvia, clavo, manzanilla y ulmaria. Las pócimas también daban buenos resultados, una de ellas era poner una pinta de leche a calentar y agregarle cuatro cucharadas de brandy; otra consistía en hervir un puñado de betónica en vino blanco, se colaba y se le daba al enfermo; la infusión caliente de canela era una forma tradicional de quitar el dolor, al igual que con una mezcla hecha con semillas de perejil.

Un amuleto que evitaba los dolores de estómago, los cólicos y las flatulencias, era conseguir la pata de una liebre con todo y articulación. Uno de los creyentes de esta superstición era el periodista del siglo XVII, Samuel Pepys.

**Estreñimiento.** *Ver* LAXANTES.

**Eucalipto.** Al árbol de eucalipto también se le conocía como "árbol de la fiebre". Se acostumbraba plantarlo en áreas pantanosas para purificar los lugares donde fuera más factible que proliferaran enfermedades con fiebre; tenía propiedades antisépticas y desinfectantes. Para curar la gripa era muy efectivo inhalar unas gotas de aceite de eucalipto. También se utilizaba para curar asma, bronquitis, neumonía, catarro y sinusitis, por sus propiedades expectorantes y para descongestionar.

Un cocimiento de hojas de eucalipto servía para curar la disentería, tifoidea, diarrea, vómito e infecciones en vías urinarias, como cistitis. Las infusiones de eucalipto ayudaban a mejorar la circulación, inducir la transpiración, reducir la fiebre y acelerar la aparición de la erupción en enfermedades como la varicela.

El aceite aplicado externamente en compresas servía para curar heridas, quemaduras, úlceras, forúnculos inflamados y abscesos, ya que tenía propiedades antisépticas y ayudaba a detener el sangrado. Otro buen remedio para aliviar malestares causados por asma o bronquitis consistía en mezclar aceite de eucalipto con aceite de almendras y frotarlo en el pecho del enfermo. La tiña y el pie de atleta se trataban con una solución de eucalipto, que también servía como repelente.

**Eufrasia.** Por lo general se preparaba como infusión en agua o en leche, pero también se hacen lociones y ungüentos del líquido de esta planta. Como su nombre en inglés lo indica[3] esta planta ayudaba a mejorar la vista; también ayudaba a la pronta recuperación de enfermedades como catarro, sinusitis e inflamación. Los primeros herbolarios la empleaban como remedio para mejorar la memoria y quitar el mareo.

**Eupatorio.** Esta planta pertenece a la familia de las margaritas y también es conocida como salvia de la India. Servía para remediar los síntomas de resfriados comunes, catarro e influenza; además era tónico, expectorante, laxante, estimulante, ayudaba a bajar la fiebre, a quitar malestares intestinales, del estómago, del hígado, del útero y de la piel.

**Expectorantes.** Un expectorante es un remedio que nos ayuda a remover secreciones de los bronquios, pulmones y tráquea por medio de la expulsión de las flemas. Algunos expectorantes naturales eran el eupatorio, la buglosa, la fárfara, la consuelda, el saúco, el hinojo, la alholva, el ajo, la madreselva, el hisopo, el polemonio, la amapola blanca, la hierba de San Juan, drosera y la violeta.

*Drosera*
*Se pensaba que era un expectorante natural*

___

[3] *Eyebright*. Brillo en los ojos.

# F

**Falta de apetito.** Un remedio tradicional para curar la falta de apetito y la debilidad que esto traía como consecuencia era preparar una infusión con un puñado de lúpulos y semillas de alcaravea. Los berros, la angélica, la cebada y las zanahorias también estimulaban el apetito, al igual que la manzanilla, la lavanda, la salvia, el tomillo, la artemisa, la mejorana, la milenrama, el espino, la mirra, la centaura menor, la genciana y el ajenjo.

**Fárfara.** Esta hierba servía para curar resfriados, tos, problemas en los bronquios, y asma. Como cataplasma servía para aliviar úlceras y quemaduras.

**Fertilidad.** Se creía que los berros, el trigo y la rosa, ayudaban a mejorar la fertilidad; el jengibre curaba la impotencia y la avena era un remedio para la esterilidad y la impotencia. Los antiguos romanos usaban la salvia para mejorar la fertilidad.

**Fiebre.** A las sustancias que reducen la fiebre se les conoce como febrífugas. Los herbolarios usaban varias plantas como acónito, gariofilea, melisa casis, trébol de pantano, eupatorio, angélica, betónica, borraja, calamento, primavera, matricaria, lila, ulmaria, amapola, salvia, marrubio blanco, milenrama, canela, berros, miel, vinagre, pimienta, limón, manzana, clavos, perejil, llantén, manzanilla, lampazo, ortiga, romero, rosa, caléndula, lavanda, espino, menta y eucalipto.

**Fiebre del heno.** Los siguientes remedios ayudaban a la recuperación de quienes padecían esta enfermedad: infusión de clavo, de llantén, de ortiga y de melisa. Las inhalaciones de manzanilla en agua hirviendo también disminuían los síntomas de la fiebre del heno. Un remedio un poco más elaborado consistía en hervir en agua un poco de helenio, colar esta infusión y tomar un vaso de este líquido regularmente hasta que los síntomas desaparecieran.

**Fiebre intermitente.** Este término ya no se emplea en la actualidad. Anteriormente lo empleaban para describir cualquier enfermedad que se caracterizara por fiebre y escalofríos, como en la influenza. Más tarde se dio a conocer como fiebre palúdica.

*Heléboro*
*Las raíces del heléboro se usaban para curar la fiebre*
*intermitente*

Un remedio tradicional para esta enfermedad consistía en una infusión hecha con flores de caléndula administrada junto con un ungüento hecho con hojas maceradas de saúco. La brionia se utilizaba cuando fallaban otros remedios, pero debía usarse con mucho cuidado ya que es muy venenosa.

A continuación se describirán otros remedios menos comunes para curar la fiebre palúdica. Uno bastante complejo consistía en juntar cantidades iguales de tabaco, polvo y hollín y nueve dientes de ajo. Se batían todos los ingredientes y se mezclaban con jabón para formar una pasta uniforme y se separaba en dos partes. Después, cada una de éstas se ponía en los puños del enfermo, que se cubría con trapos. Supuestamente esto tenía que llevarse a cabo una hora antes de que surgiera otro acceso de fiebre y escalofríos, no se sabe con certeza cómo calculaban los tiempos. Si este remedio no daba resultado a la primera vez de aplicarlo, tenía que llevarse a cabo tres o cuatro veces más.

Existía otra cura alternativa, sin embargo, no se aplicaba con mayor frecuencia que la anterior. La persona interesada debía comprar un penique (esto era muy popular a mediados del s. XVIII) de jabón negro, uno de pólvora, una onza de tabaco y un vaso de brandy. Estos ingredientes se mezclaban en un mortero, la pasta resultante se untaba en pedazos de cuero que se ataban a los puños del enfermo. Este remedio también se tenía que aplicar una hora antes de que surgiera el siguiente acceso de fiebre y escalofríos.

A mediados del s. XVIII, había otra cura efectiva. Sin embargo, las personas que se encargaban de tomar el tiempo en que se llevaría a cabo el siguiente acceso de fiebre palúdica se veían en serios problemas para poder calcularlo, ya que el remedio tenía que aplicarse seis horas antes del siguiente acceso. Este remedio consistía en mezclar trementina de Venecia con polvo de raíces de heléboro blanco, hasta que se formara una mezcla uniforme que pudiera untarse en pedazos de cuero, después se colocaba en los puños del enfermo y sobre las yemas de los pulgares.

Eran tantos los enfermos de fiebre palúdica que las curas parecían no ser suficientes. Otro remedio sugería que el enfermo ayunara siete mañanas seguidas, únicamente comiendo siete hojas de salvia.

Otra creencia era que si el enfermo enterraba un puñado de sal en la tierra, la fiebre desaparecería en cuanto la sal se disolviera.

Un remedio bastante extraño y no tan benéfico como los anteriores, ya que se trataba de una fórmula para vengarse de alguien, consistía en que el enfermo de fiebre palúdica enterrara bajo la puerta de entrada de la persona en cuestión una bolsa con uñas y cabello de un muerto. Esto con la intención de que dicha persona se contagiara de la enfermedad. Quizás no hubiera sido difícil conseguir el material para realizar esta fórmula, pero es poco probable que alguien se animara a llevarla a cabo.

Tradicionalmente, se recurría mucho a los hechizos para prevenir enfermedades, o tal vez eran preferibles a las curas. Para protegerse de la fiebre palúdica, la gente colocaba una hoja de tanaceto en su zapato, o tomaban, en ayunas, una píldora hecha con telarañas.

**Fiebre tifoidea.** La miel funcionaba como antiséptico para curar la tifoidea, al igual que el ajo y el eucalipto.

**Flatulencia.** Las siguientes hierbas ayudaban a aliviar el problema de la flatulencia: menta, canela, jengibre, clavo, cebada, zanahorias, cebolla, perejil, ortiga, romaza, manzanilla, cardamomo, tomillo, lavanda, mirra, aceite de oliva, eucalipto, angélica, alcaravea, calamento, apio, cilantro, eneldo, hinojo, matricaria, rábano picante, tanaceto y asperilla.

**Flemas.** *Ver* EXPECTORANTES.

**Forúnculos.** Entre los remedios caseros tradicionales había varios que servían para desinflamar los forúnculos. Uno de ellos, aparentemente muy doloroso, consistía en calentar un frasco de vidrio con agua muy caliente, vaciarle el líquido y colocarlo sobre el forúnculo.

Algunas cataplasmas que ayudaban para aliviar este mal estaban hechas a base de berros, melisa o miel. Otras más comunes se preparaban con pan y leche o con puerros cocidos y macerados; o con zanahorias crudas se aceleraba el proceso de curación.

El jugo de cebolla también daba buenos resultados, al igual que una cataplasma de nabos hervidos y macerados, o una de bardana para disminuir la inflamación. La cataplasma de consuelda ayudaba a drenar la pus y las compresas de aceite de eucalipto aceleraban el proceso de recuperación. El rábano picante, aplicado de manera externa, era otra buena opción.

Otro remedio fácil de aplicar consistía en hervir un huevo, quitarle la piel, y cuando aún estuviera mojada, aplicarla sobre la zona afectada; otro consistía en poner sales de Epsom en un plato hasta que estuvieran pulverizadas, después se le agregaba un poco de glicerina, esta mezcla se untaba en un pedazo de tela que se ponía directamente sobre el forúnculo. Había otra cura que se hacía con habichuelas pulverizadas, alholva y miel. Una más simple incluía fomentos de flores de manzanilla. Entre los remedios internos destaca, una infusión de raíz de romaza en agua hirviendo, esto servía para purificar la sangre, otro se preparaba con los retoños de zar-

zamora hervidos y colados, el líquido resultante se tomaba todas las mañanas. Se creía que los forúnculos eran una manifestación de mala salud, y se recomendaba la ingestión de tónicos y purgantes.
*Ver también* ABSCESOS.

**Fracturas.** La consuelda aceleraba el proceso de unión del hueso.
*Ver* HUESOS ROTOS.

**Frambuesa.** Los antiguos herbolarios curaban con té de frambuesa casos severos de insomnio y fiebre. Esta planta también funcionaba para prevenir el vómito y los malestares matutinos del embarazo; ayudaba a disminuir el dolor durante el trabajo de parto y aumentaba la producción de leche materna; también curaba la diarrea. El enjuague bucal de frambuesa curaba encías con llagas y aceleraba el proceso de curación.

**Fresas.** A la fresa se le conoce desde hace mucho por sus propiedades medicinales; curaba la anemia, normalizaba la hipertensión, aliviaba malestares estomacales, era tónica y laxante, ayudaba a eliminar lombrices intestinales, servía como tratamiento para la disentería, también la raíz de esta planta curaba la diarrea.
    También curaba algunos trastornos del riñón y cálculos biliares. Para aliviar molestias por quemaduras de sol se sugería frotar el área afectada con una fresa cortada a la mitad.

**Fresno.** La corteza y las hojas del fresno se usaban como laxantes y purgantes, al igual que el sen y el ruibarbo. También servía como tónico para los convalecientes y se pensaba que prevenía enfermedades recurrentes como la malaria.

**Fumaria.** Esta planta la utilizaban los antiguos herbolarios para mejorar la vista y por lo tanto, en problemas de conjuntivitis, y las mujeres de la época medieval la usaban para borrar manchas de la piel.

La fumaria era extremadamente tóxica y se recomendaba su uso sólo a especialistas o a gente experimentada en medicina herbolaria.

# G

**Galio.** También se le conoce como cilandrillo. En los antiguos remedios caseros se usaba como sedante y para calmar trastornos nerviosos como la epilepsia. También funcionaba como tónico, diurético y repelente de insectos.

**Gariofilea.** Se dice que toda la planta, incluyendo sus raíces, tiene propiedades medicinales. Anteriormente se usaba como antiséptico y tónico, para detener el sangrado, reducir la fiebre e inducir la transpiración. Además servía para curar malestares estomacales como cálculos y diarrea; eliminaba dolores de cabeza, gargantas irritadas, escalofríos, enfermedades cardíacas y del hígado.

Para otros propósitos servía como desmanchante, regenerador de la piel, enjuague bucal y para hacer gárgaras. Debido a que su olor es muy aromático, se creía que tenía poderes para alejar a los malos espíritus. Se decía que si alguien llevaba una rama de esta planta estaría a salvo de que la mordiera un perro rabioso o una víbora venenosa. En alguna época se empleó como antídoto contra veneno y mordeduras de animales.

En los remedios caseros se decía que si alguien desenterraba la raíz de la gariofilea antes del amanecer y se la ataba alrededor del cuello dentro de una bolsa de lino, su visión mejoraría. Supuestamente, este mismo ritual curaba las hemorroides.

**Garganta, dolor de.** *Ver* GARGANTA IRRITADA.

**Garganta irritada.** Había muchos remedios para curar gargantas irritadas; algunos de ellos bastante extraños. Uno consistía en amarrar una tira de tocino a una tira de algodón resistente; el enfermo tenía entonces que tragarse el tocino mientras detenía con fuerza el algodón. Cuando el tocino ya estuviera en la garganta, la persona jalaba el algodón para que la grasa lubricara la garganta. Este procedimiento se repetía seis veces.

Otro remedio sugería espolvorear eucalipto en la suela de una media negra de lana que se hubiera usado durante una semana; la suela se colocaba en la garganta y el resto de la media se prendía con alfileres alrededor del cuello. Así debía permanecer el enfermo durante toda la noche.

Otra opción consistía en rellenar una media o un calcetín largo con sal de cocina previamente calentada, se ataba alrededor del cuello y así se dejaba toda la noche. Algunas curas más comunes eran: La mezcla de alcanfor en un vaso de brandy se vertía sobre un terrón de azúcar que se tenía que disolver en la boca del enfermo. Esto se repetía cada hora hasta haber tomado cuatro dosis. Era muy efectivo.

La infusión de flores de saúco endulzada con miel y tomada en tragos pequeños; comer cebollas hervidas en melaza o tomar una infusión de milenrama tres veces al día, eran otras tres buenas opciones La solución ligera de sal, la mezcla de agua tibia con limón, la de yodo con agua y la de mostaza, servían para hacer gárgaras y desinflamar gargantas.

Las gárgaras con una infusión de hojas de salvia con vinagre también eran efectivas, al igual que las de agua de ceba-

da, té de salvia, té de borraja, romaza, menta, aceite de eucalipto, hamamelis, y mirra. El vinagre caliente servía en inhalaciones. El jugo de ajo tomado, comer puerros, cebollas, el
té caliente de romero, la consuelda y la infusión de milenrama, eran excelentes remedios.

**Gaulteria.** El aceite de gaulteria ayudaba a calmar el dolor,
incluido el de reumatismo y artritis. También curaba golpes y
servía para hacer gárgaras.

**Gayuba.** La gayuba se usaba en los remedios caseros de Ga-
les como antiséptico. Después se descubrió que también servía como diurético y para desórdenes del riñón y vías urinarias
como la cistitis. Al consumir gayuba, la orina salía verde, y
su uso prolongado provocaba estreñimiento.

**Glicerina.** La glicerina es un líquido transparente y pegajoso
que se obtiene de calentar y destilar la grasa. En un principio
se usó para tratar enfermos de tuberculosis o tos seca. También curaba infecciones intestinales, cólicos, indigestión, flatulencias y servía como laxante. Ayudaba a suavizar y a humectar
la piel, aliviaba la inflamación causada por eczema, quemaduras y sabañones. La glicerina mezclada con agua de rosas y
aplicada como ungüento sobre los labios, servía para prote-
gerlos del bronceado o para que no se resecaran. Mezclada
con aceite de lavanda aliviaba heridas e irritaciones.

**Golpes.** Había muchas maneras de curar los golpes. Una de
ellas era aplicando vinagre directamente al área lastimada, o
con una cataplasma de vinagre con salvado y migajas de pan
o harina de avena.

El agua también se usaba en distintos remedios, uno consistía en envolver el área golpeada con trapos remojados en

agua muy caliente, y repetir este procedimiento varias veces. Esto era para prevenir que el golpe se inflamara, al igual que el remedio que consistía en hacer cinco o seis dobleces a un pedazo de tela, remojarlo en agua muy fría y aplicarlo directamente al área lesionada. Cuando la tela se calentaba, se volvía a remojar en el agua fría.

Otro buen remedio era un pedazo de tela remojado en aceite de oliva y frotado sobre el golpe, después se cubría la lesión con compresas empapadas en aceite. Si se frotaba el golpe con una vela de sebo fría era muy probable que no saliera moretón. Otro remedio se hacía con perejil picado revuelto con mantequilla, o también con melaza untada en un papel de estraza y aplicada sobre el golpe. Una mezcla de matricaria, lancéola, llantén, salvia y bugle macerado y mezclado con mantequilla sin sal o aceite vegetal eliminaba el dolor en el área lesionada y reducía la inflamación.

Con un puñado de hojas de romero, una pinta de agua hirviendo, una clara de huevo y una cucharadita de brandy se lograba una loción muy efectiva. Las hojas hervidas de consuelda también proporcionaban alivio.

Las hojas de llantén maceradas, la milenrama y los lúpulos aplicados de manera externa aliviaban el dolor, al igual que el agua de rosas y el aceite de lavanda, que disminuían la hinchazón. Había además otras cataplasmas o compresas de hamamelis que se pensaba eran especialmente efectivas para curar golpes.

La gaulteria, el tanaceto, el marrubio blanco, el apio, el geranio roberto, la alholva y el hisopo eran otras buenas recomendaciones.

**Gordolobo.** En un principio el gordolobo se usaba para curar la gota y las hemorroides. Por lo general se mezclaba con otras hierbas para neutralizar su sabor particularmente amargo. Era efectivo para curar infecciones en vías respiratorias, tales como asma y bronquitis. La cataplasma de hojas o flores de gordolobo aliviaba quemaduras; la mezcla de hojas de gordolobo, vinagre caliente y agua desinflamaba las hemorroides; y el ungüento de hojas hervidas con manteca o grasa vegetal, servía para sanar heridas.

**Gota.** Una solución para aliviar los malestares de la gota era comer un diente de ajo todas las mañanas y noches, al igual que comer berros, zanahorias, pepino, cebolla, nabos, perejil, diente de león, lampazo, ortiga, romaza, caléndula, romero, salvia, tomillo, espino y borraja. Los baños con sales de Epsom ayudaban a disminuir el dolor de la gota, al igual que aplicar papa cruda o papa caliente en las zonas adoloridas. Las hojas frescas y maceradas, o la loción de menta, también proporcionaban alivio.

r hamamelis seco o té en polvo, o empapar un trapo

**Halitosis.** La gariofilea, el eneldo y la menta eran un buen remedio contra el mal aliento o halitosis. La halitosis puede ser ocasionada por algún desorden estomacal, y para evitar eso se recomendaba ingerir carbón vegetal pulverizado y bicarbonato de sodio.

**Hamamelis.** El hamamelis era un buen remedio para curar hemorragias internas y externas, hemorroides, flujo menstrual abundante, diarrea, disentería, enfermedades venéreas, tuberculosis, golpes, luxaciones, inflamación, quemaduras, mordeduras, picaduras y várices.

**Helenio.** En la medicina herbolaria básicamente se usaba como expectorante para enfermedades de los bronquios. También funcionaba como diurético, antiséptico, ayudaba a inducir la menstruación, y a las personas convalecientes les servía como tónico y como estimulante del apetito.

**Hemorragia nasal.** Un remedio sencillo para detener la hemorragia nasal consistía en conservar una hoja de ortiga sobre la lengua o detenerla contra el paladar, también funcionaba inhalar hamamelis seco o té en polvo, o empapar un trapo con vinagre o limón, y colocarlo en los orificios nasales. Si se aplicaba una loción fría en la cabeza y en los pies, se lograba detener la hemorragia.

Otro antiguo remedio consistía en poner una llave fría en la parte baja de la espalda de quien sufriera la hemorragia, o uno más drástico: verter agua fría en su espalda. También funcionaba tapar la nariz con los dedos para que no entrara aire a la nariz, o tomar un té de canela.

**Hemorroides.** También se les conoce como almorranas. La infusión de berros aplicada como loción, las hojas frescas de llantén o las compresas de hamamelis, desinflamaban las hemorroides. La milenrama, la ulmaria y la caléndula aplicadas externamente también servían para este propósito. Comer zanahorias, avena, puerros o tomar una infusión de ortiga varias veces al día eran otros remedios.

**Heridas.** Algunas hierbas que aliviaban las heridas eran: lengua de sierpe, árnica, lampaza, consuelda, romaza, centinodia, mirra, perejil, llantén, salvia y milenrama. Otros ingredientes efectivos eran: miel, papas, pimienta y manzanas mezcladas con aceite de oliva. El té se empleaba para controlar el sangrado en heridas, al igual que la ortiga, los clavos y la canela; la lavanda desinfectaba, el té de borraja aceleraba el proceso de cicatrización y el hamamelis era un remedio muy popular.

El vinagre era un antiguo remedio para sanar heridas. Las cataplasmas de col, de zanahorias, de hojas de melisa, el ungüento o loción de flores de saúco, la ulmaria, el lino, las compresas de eucalipto y el yodo, servían para detener el sangrado y todos eran muy efectivos para curar heridas.

**Herpes.** La cataplasma de hojas de col aplicada en el área afectada proporcionaba alivio para el herpes; la melisa también era efectiva.

**Hidropesía.** Las infusiones de perejil y de romaza ayudaban a curar esta enfermedad, también funcionaba el té de digital con hiniesta. Otra sugerencia era moler las hojas de una alcachofa en un molcajete, y el líquido resultante mezclarlo con vino de madera; debía tomarse durante varios días por la mañana y por la noche.

Las cabezas de hiniesta verde se tostaban en el horno, después se molían hasta quedar puras cenizas que se ponían en un plato limpio. Las cenizas se revolvían con vino blanco y esta mezcla se dejaba reposar durante toda la noche. A la mañana siguiente se tomaba el líquido más claro de esta mezcla, y se volvía a tomar al mediodía y en la noche.

Cualquier hierba que sirviera como diurético se podía utilizar para el tratamiento de la hidropesía, ya que una de las características de esta enfermedad es la retención de líquidos. El té de raíz de saúco, el ungüento de caracoles negros machacados con sal de laurel y untado en las plantas de los pies, y el aceite resultante de hervir en crema hojas de ajenjo maceradas, eran otros remedios comunes en la medicina herbolaria.

**Hiedra terrestre.** Las infusiones de flores secas de esta planta servían como expectorante y para desinflamar gargantas, por lo que se administraba a los enfermos de catarro y bronquitis. También aliviaba la cistitis y la ciática.

**Hierba cana.** En un principio se usó para calmar cólicos menstruales fuertes, después se descubrió que servía como laxante o purgante, y que curaba el dolor de estómago. Funcionaba como emético, para curar la bilis, y para bajar la temperatura.

Usada en cataplasmas calientes, esta planta funcionaba para desinflamar forúnculos, y en cataplasmas frías para suavizar los pezones de las mamás que estaban amamantando a sus bebés. Las cataplasmas también funcionaban para limpiar heridas, humectar manos resecas y reparar encías sangrantes.

*Hierba cana*

**Hierba de San Juan.** En la antigüedad se creía que esta planta evitaba la presencia de brujas, fantasmas y demonios, y que además evitaba que a las casas les cayera un rayo. Los herbolarios usaban esta hierba para tratar casos de demencia, melancolía e histeria. Curaba hemorragias, evitaba escupir con sangre, eliminaba lombrices intestinales y ayudaba a que los niños ya no mojaran la cama. Aplicada externamente servía para aliviar pezones lastimados.

*Hierba de San Juan*

**Hierba de San Roberto.** Esta hierba era muy popular en los remedios caseros y se preparaba de muchas maneras en la época medieval. Curaba infecciones de la piel, golpes e inflamación, la loción de esta planta ayudaba a mejorar la vista; y las gárgaras, desinflamaban la garganta y las úlceras bucales. Ayudaba a aliviar la diarrea.

*Hierba de San Roberto*

**Hígado, problemas del.** Los siguientes productos ayudaban a curar algunos problemas del hígado: jugo de papas crudas, cebolla cruda, manzana, agrimonia, gariofilea, margarita, salvia y romero.

**Hiniesta.** La hiniesta era un arbusto muy popular durante la Edad Media. Los herbolarios la usaban para curar la retención de líquidos; mezclaban las cenizas de hiniesta quemada con vino blanco para obtener un remedio. Hace menos tiempo se seguía usando como diurético y para curar enfermedades del riñón, vejiga e hígado, y también la ciática y la gota.

La hiniesta además servía para disminuir flujos menstruales abundantes y para disolver coágulos. En algunos casos la usaban para curar problemas de presión baja y enfermedades del corazón, sin embargo, su empleo era muy delicado, ya que usada en exceso podía afectar al corazón o al sistema respiratorio y provocar la muerte.

**Hinojo.** Actualmente es conocido como un vegetal y especia para sazonar la comida, pero anteriormente lo usaban como remedio en la medicina herbolaria. En la antigua Grecia, usaban el hinojo para incrementar la libido y para curar la impotencia y la frigidez; por este motivo se usaba para elaborar pócimas de amor.

*Hinojo*

Más tarde se descubrió que también eliminaba las flatulencias, los cólicos, la indigestión, y que era un buen remedio contra la obesidad. Tenía propiedades diuréticas por lo que ayudaba al tratamiento de la ictericia y de desórdenes en la vesícula biliar. El hinojo ayudaba a los niños que se hacían pipí en la cama, calmaba el dolor de muelas, y servía como expectorante para la bronquitis. Se debía tener mucho cuidado con las dosis que se administraban de esta hierba, ya que en exceso afectaba al sistema nervioso, y las hojas frescas del hinojo eran irritantes.

**Hipertensión.** También se le conoce como presión arterial alta. Afortunadamente había muchos productos que ayudaban a curar este padecimiento: agracejo, perifollo, consuelda, ajo, espino, perejil, ruda, escutelaria, verbena, violeta, canela, jengibre, aceite de oliva, manzanas, papas, cebollas, puerros, milenrama, melisa y lavanda.

**Hipo.** Un antiguo remedio para quitar el hipo era la infusión caliente de semillas de mostaza. Unas gotas de limón, un poco de clavo, menta o simplemente agua caliente, también remediaban este mal. Otra receta sugería tomar tres traguitos de agua fría pero desde el borde superior del vaso; otro consistía en poner los dedos sobre las orejas mientras se tomaba mucha agua fría; o con una pizca de rapé también se intentaba calmar el hipo. Una cura un poco menos común sugería mantener en la boca tres o cuatro ciruelos damascenos, e irlos deglutiendo gradualmente.

**Hipotensión.** Comúnmente se le conoce como presión arterial baja, y para curar algunos síntomas de este padecimiento se recomendaba ingerir espino para normalizar la presión; también hiniesta, lavanda, romero y zurrón del pastor.

**Hisopo.** El hisopo se usaba como remedio para el catarro crónico y el asma; para el asma a veces era bueno mezclarlo con marrubio. También regularizaba algunos problemas estomacales, y aplicado externamente sanaba cortadas y reumatismo.

**Histeria.** Se recomendaba tomar un té concentrado de tanaceto o hacer una infusión con manzanilla, valeriana, flores de lima y hierba de San Juan e ingerirla tres veces al día. Se decía que las siguientes hierbas eran muy efectivas para calmar la histeria: betónica, calamento, centaura menor, cilandrillo, lavanda, lirio del valle, menta, agripalma, amapola, escutelaria, valeriana, verbena, viperina y berros.

**Hueso roto.** *Ver* FRACTURAS.

**Huevo.** Desde hace muchos años se sabe que el huevo es un alimento muy nutritivo, aunque en la actualidad mucha gente ha reducido su consumo porque es muy alto en colesterol. En los remedios caseros se consideraba que era un alimento que ayudaba a la recuperación de los enfermos por ser fácil de digerir. Los huevos crudos o tibios servían como tónico o para curar malestar estomacal, indigestión, estreñimiento y diarrea.

A los enfermos o débiles les hacía bien tomar bebidas hechas con huevo como el ponche de leche y huevo, que se preparaba con una yema de huevo batida, brandy y clara de huevo batida. Para finalizar se agregaba un poco de agua de cal, para hacer la bebida más digerible.

Para contrarrestar el efecto de algunas sustancias corrosivas o venenosas, era necesario tomar algún remedio como una clara de huevo batida con leche. Las claras de huevo aplicadas capa por capa, ayudaban a suavizar la piel, al igual que los pezones agrietados de las mujeres en periodo de lactancia, las pompas irritadas de los bebés y las quemaduras de sol.

Un remedio para aliviar quemaduras consistía en aplicar una clara de huevo batida a punto sobre el área quemada. Otra ventaja de los huevos es que ayudaban a evitar la caída del cabello, para lograr esto, había que batir los huevos, mezclarlos con agua y frotar esta mezcla sobre el cuero cabelludo. Así se dejaba toda la noche y se enjuagaba por la mañana. El huevo también se utilizaba para mejorar el aspecto general del cabello.

# I

**Ictericia.** En los remedios caseros de Europa usaban el perejil para curar la ictericia; después descubrieron que la raíz del diente de león y los lúpulos también ayudaban a curar esta enfermedad. Otro remedio para eliminar los síntomas de la ictericia consistía en macerar flores de diente de león, aciano y perejil, y mezclar las hierbas con cerveza; se tomaba en la mañana y en la noche. La infusión de agrimonia, tomada tres veces al día también era efectiva. Una receta especialmente desagradable para curar la ictericia indicaba comer una rebanada de pan con mantequilla y nueve piojos.

**Impotencia.** En la medicina herbolaria la canela, el jengibre, los pétalos de rosa y la avena, eran buenos remedios para curar la impotencia.
*Ver también* FERTILIDAD.

**Indigestión.** El eneldo, el hinojo, la matricaria, la menta, la verónica, el tomillo y el jengibre, eran remedios tradicionales para curar la indigestión. También funcionaba ingerir jugo de papas crudas, la clara de un huevo, manzanas, té, sales de Epsom, clavo, aceite de oliva, semillas de cardamomo, perejil, lampazo, lavanda y ulmaria.
*Ver* DIGESTIÓN, AYUDA PARA LA.

**Inflamación.** La harina de avena o el jugo de papa cruda, aplicados externamente ayudaban a desinflamar; la pimienta además de reducir la inflamación quitaba el dolor. El vinagre, y la mezcla de lúpulos con manzanilla, aplicada externamente también desinflamaba.

Las cataplasmas de harina de cebada, de llantén, de lampazo o de hojas de eucalipto, también eran buenos remedios. Asimismo, las hojas frescas y maceradas de llantén, de romaza, jugo de pepino, las flores de la ulmaria y del saúco también desinflamaban. Para inflamaciones de la piel se recomendaba aplicar aceite de lavanda y manzanilla.

**Insomnio.** La leche con miel y una pizca de nuez moscada o canela antes de irse a dormir era un remedio muy común contra el insomnio, al igual que una cucharada de miel, o vinagre de sidra con miel. Los lúpulos eran el remedio más común para curar el insomnio durante la Edad Media. La manzanilla, por sus propiedades relajantes, servía como cura para poder dormir, al igual que la lavanda, el bálsamo de limón, el espino, el romero, la amapola, la valeriana, la escutelaria, la asperilla, el diente de león, el eneldo y la menta.

Comer dos o tres cebollas dulces, comunes o crudas antes de dormir daba buenos resultados. La sopa o la jalea de cebolla eran otra opción. La receta para hacer la jalea de cebolla consistía en picar varias cebollas y cocinarlas en una olla pequeña hasta que estuvieran muy suaves. Mientras, hervir agua con limón y agregar las cebollas. Otro remedio para evitar el insomnio era rellenar el colchón con cáscaras de avena.

**Insolación.** Un antiguo método para evitar la insolación era meter una hoja de col en el interior de un sombrero. Si alguien sufría de insolación severa, se recomendaba quitarle la ropa y verter un chorro de agua sobre su cuerpo, después cubrirlo con una sábana remojada en agua fría. Otro remedio consistía en poner hojas de mostaza en la nuca del afectado.

# J

**Jengibre**. Durante casi 2000 años la raíz del jengibre era un producto básico en la medicina China, y en 1600 la comenzaron a usar en Inglaterra. Tenía poderes para curar la frigidez y se usaba como afrodisíaco en general. Preparado como ungüento con agua y aplicado en la frente disminuía la hipertensión. El jengibre estimulaba los músculos del corazón, la circulación, curaba enfermedades en las vías respiratorias como gripa o catarro, bajaba la fiebre y era expectorante.

Se destacaba por sus propiedades para curar trastornos digestivos como flatulencias, diarrea y náuseas. También curaba la impotencia y regularizaba los periodos menstruales. Evitaba que se formaran coágulos, y se creía que retardaba el proceso de envejecimiento. Aplicado como ungüento calmaba el dolor provocado por lumbago, articulaciones adoloridas y neuralgia básicamente. Masticar un poco de jengibre fresco aliviaba el dolor de muelas.

**Juanetes.** Una cura de glicerina y belladona aplicada sobre el área afectada era un buen remedio; después se ponía un poco de yodo.

**Jugo de carne.** Se recomendaba que el paciente lo tomara en casos de debilidad o convalecencia para fortalecerse. Existían diversas maneras de prepararlo, una consistía en picar o cortar un pedazo de bistec y ponerlo en un frasco o plato con una pinta y media de agua fría o de agua de cebada, se tapaba y se ponía a fuego lento en una cacerola con agua durante varias horas. Después se dejaba enfriar el frasco durante toda la noche. Finalmente se colaba y se retiraba la grasa de la mezcla.

**Junípero.** Las bayas y las hojas del junípero se usaban en los remedios caseros, aunque en la actualidad se usa sólo como condimento porque las frutas del junípero proporcionan un sabor muy especial a los platillos. El junípero se usaba para eliminar la indigestión y las flatulencias. También curaba los síntomas de enfermedades del riñón y de la vejiga, era diurético muy efectivo para curar la hidropesía. Algunas veces se usaba junto con otros diuréticos.

*Junípero*

# L

**Labios partidos.** La mezcla de glicerina con jugo de limón era un buen remedio para suavizar labios partidos. Otras alternativas eran aceite de rosas, ungüento de rosas, o la mezcla de glicerina con agua de rosas.

**Lactancia.** Las zanahorias ayudaban a producir más leche, al igual que el perejil y la ortiga. Las hojas y las semillas de la borraja eran otra buena opción.

**Lampazo.** Esta planta la usaban anteriormente para desinflamar forúnculos y eczemas y curar enfermedades de la piel, además aliviaba golpes y quemaduras. Ayudaba a calmar el dolor provocado por artritis, reumas y neuralgia, y las molestias de asma, bronquitis y problemas digestivos.

**Lavanda.** Su nombre deriva del latín que significa "lavar", y obtuvo su nombre porque los romanos la usaban para bañarse. También la ponían en pequeños sacos de lino que guardaban entre la ropa para perfumarla y además eliminaba malos olores.

En la Edad Media la usaban para matar piojos; también servía para limpiar heridas. La lavanda era un antiséptico que se aplicaba para casos de difteria, era diurética, curaba resfriados, catarro, infecciones del pecho por ser desinfectante y expectorante, e inducía la transpiración y bajaba la fiebre.

Era un magnífico sedante en casos excesivos de nerviosismo, ansiedad, taquicardia, insomnio y dolores de cabeza. Por otro lado, también servía como estimulante del sistema nervioso; levantaba el ánimo de las personas deprimidas y les estimulaba el apetito; regularizaba la presión arterial y calmaba los mareos.

Aliviaba algunos trastornos digestivos como las flatulencias, los cólicos, la indigestión y las náuseas; ayudaba a aliviar el dolor en general pero sobre todo el de muelas y de cabeza. Tenía diversos usos, especialmente cuando se aplicaba como aceite. Éste servía de repelente, desinflamaba, aliviaba golpes y luxaciones. Finalmente, curaba úlceras, cortadas y heridas.

**Laxantes.** Eran reconocidos por sus propiedades como laxantes las manzanas, el aceite de oliva, el jarabe de escaramujo de rosa, las bayas de saúco, las semillas de llantén, la linaza y las semillas de mostaza blanca. La romaza era un excelente remedio para casos de estreñimiento crónico, un laxante más ligero era la raíz de diente de león, y las sales de Epsom se usaban cuando se requería un laxante rápido y eficaz.

Otras hierbas que tenían propiedades laxantes eran: los espárragos, el cambrón, el álcine, el cenizo, la matricaria, hierba cana y el orozuz.

En los remedios caseros y la medicina herbolaria había diversas plantas que servían para facilitar la evacuación, tales como: amaro, licopodio, hierba de Santa María, grama, diente de león, saúco, matricaria, caléndula, malvavisco, perejil y ruibarbo.

**Leche.** La leche era muy recomendable para facilitar la digestión, aliviar úlceras estomacales, suavizar la piel y mejorar el cutis.

**Lechuga silvestre.** En la antigua medicina herbolaria se usaba como sedante; para calmar cólicos y tos irritable; y como diurético para curar la hidropesía.

**Lengua de sierpe.** Otro nombre común para denominar esta planta es estrellada. En la medicina herbolaria tradicional se usaba como vomitivo, y administrada como cataplasma o como infusión también servía para acelerar el proceso de cicatrización en heridas y para desinflamar ojos hinchados. También la aplicaban para calmar y suavizar la piel.

**Lila.** Tenía propiedades diuréticas y para desinflamar. Básicamente se usaba para curar enfermedades con fiebre, como la malaria, también curaba el reumatismo.

**Limón.** El limón era un ingrediente muy importante en los remedios caseros, y se ha destacado por sus poderes curativos desde hace muchos años. Los romanos lo usaban como antídoto contra envenenamientos.

A pesar de ser una sustancia ácida, el limón diluido en agua se usaba para curar la bilis; aliviaba trastornos digestivos como acidez, hipo, náuseas, estreñimiento y parásitos. El jugo de limón tomado en la mañana actuaba como estimulante de la bilis y como tónico para el hígado, también disolvía cálculos biliares, curaba diversas infecciones, reducía la fiebre, ayudaba a calmar los síntomas del asma, a desinflamar gargantas irritadas y a quitar la tonsilitis. El limón era diurético y calmaba las molestias de la artritis y el reumatismo. La mezcla de café con limón servía para eliminar la malaria; este mismo remedio funcionaba para quitar dolores de cabeza.

Aplicado externamente servía como astringente para detener sangrados. Una receta para calmar hemorragias nasales consistía en mojar con limón un pedazo de algodón y colocarlo en los orificios nasales; el limón ayudaba a prevenir bronceados excesivos y mezclado con glicerina suavizaba labios partidos.

**Linaza.** *Ver* LINO.

**Lino.** Otro nombre para denominarlo es linaza. Las semillas y el aceite extraídos de éstas se usaban para el tratamiento de bronquitis, enfermedades de los pulmones, tos y estreñimiento. Una cataplasma de semillas de linaza con mostaza se usaba para desinflamar forúnculos, abscesos, úlceras e inflamaciones en general; cuando se mezclaba con agua de cal, el aceite de linaza servía para quemaduras y escaldaduras.

*Lino*

**Lirio del Valle.** Conocido también como muguete, su función principal era como estimulante del corazón (como la digital), pero el lirio del valle también curaba la sinusitis, el mareo, la retención de líquidos y el reumatismo.

*Lirio del Valle*

**Llantén.** Esta planta se ha usado de manera externa para tratar heridas y llagas; calmaba la comezón por piquetes de insectos, aliviaba quemaduras, escaldaduras y luxaciones. Los griegos y los romanos lo usaban para curar mordeduras de perros rabiosos. Las infusiones de plátano servían como diurético, expectorante y para reducir la secreción de mucosidad. También tenía propiedades para aliviar bronquitis, catarro, resfriados, asma, fiebre del heno, sinusitis, relajaba espasmos, curaba infecciones estomacales, intestinales, diarrea; era laxante, regularizaba el flujo menstrual y aliviaba el vómito con sangre.

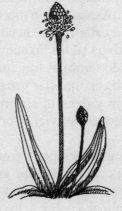

**Llantén**

**Lombrices.** Un remedio agradable para eliminar las !ombrices consistía en comer fresas. El ajo y el limón también facilitaban la eliminación de estos parásitos. La tintura de tomillo en ayunas, la infusión de ortiga, comer ensalada de papa durante varios días, las semillas de pepino, la sábila, la primavera y las nueces eran otras sugerencias. A los niños pequeños se les administraban enemas para curar este mal; uno de ellos se preparaba con sal y agua.

**Lúpulo.** El lúpulo se comenzó a usar en la Edad Media para fabricar cerveza, y quizás por eso siga siendo conocido. Sin embargo, en los remedios caseros tenía otros usos además de la elaboración de cerveza. Se usaba para curar el insomnio y para calmar los nervios. También servía para remediar problemas digestivos, del estómago, cardíacos, del hígado, estimulaba el apetito y curaba la ictericia. Los lúpulos con manzanilla ayudaban a curar golpes y a reducir la inflamación.

**Luxaciones.** Los baños con vinagre y el linimento de aceite de oliva con ajo eran muy efectivos para curar luxaciones. Otras opciones que ayudaban a desinflamar eran: agua de rosas, aceite de lavanda, hamamelis o una clara de huevo batida y untada en la piel. La cataplasma de consuelda se destacaba por sus poderes curativos en las luxaciones; las hojas frescas y maceradas de llantén también funcionaban. Otro remedio más complejo consistía en mezclar y macerar hojas de saúco, hiedra terrestre, ajenjo y llantén; esta mezcla se ponía en el horno hasta que las hojas estuvieran crujientes, y se untaba en un pedazo de lino.

Otra receta para curar luxaciones recomendaba calentar cuatro partes de manteca con dos de sebo rallado y tres de hojas de saúco. Cuando la mezcla se tornara verde, se untaba en un pedazo de lino y se aplicaba sobre la luxación. La cataplasma de hojas de tanaceto también aliviaba las luxaciones.

# M

**Madreselva.** Era expectorante, por lo que ayudaba a tratar enfermedades en vías respiratorias, como el asma, por medio de las gárgaras. Algunas enfermedades del hígado, del bazo o problemas de estreñimiento (por ser laxante) se curaban con esta hierba.

*Madreselva*

**Mala memoria.** Se creía que el espino estimulaba la circulación y con esto, mejoraba la pérdida de memoria causada por envejecimiento o por falta de irrigación sanguínea a la cabeza. El romero estimulaba la irrigación a la cabeza y mejoraba la memoria. Otro remedio para no olvidar información era tomar un té de salvia.

**Malaria.** Un buen remedio para curar la malaria era tomar café con limón. Los antiguos herbolarios la curaban con raíces de perejil o con eucalipto. A esta enfermedad también se le conocía como fiebre palúdica.

*Ver también* FIEBRE PALÚDICA.

**Malvavisco.** El malvavisco también era un remedio muy popular en la medicina herbolaria, de hecho, en la Edad Media, se usaba para curar enfermedades venéreas, entre otras. Al poner en agua la raíz de esta planta se formaba un gel que funcionaba para desinflamar, aliviar quemaduras, cortadas, alergias y enfermedades de la piel. La cataplasma de acalia ayudaba a calmar la comezón provocada por piquetes de insectos, y una loción hecha con la raíz o con las hojas, eliminaba la caspa. La raíz seca y hervida en leche servía para curar la tosferina y la bronquitis. Administrada como infusión, curaba enfermedades en vías urinarias.

**Manos resecas.** Un antiguo remedio para humectar las manos consistía en calentar grasa de carnero hasta que se disolviera, colarla y dejarla enfriar hasta que se endureciera. Se formaba una bola que se ponía frente al fuego hasta que la superficie comenzara a suavizarse; esta sustancia era la que se aplicaba en las manos.

Otro remedio casero, un poco más complicado sugería mezclar manteca de cerdo sin sal con agua de manantial y agua de rosas; añadirle yemas de huevo, miel y después harina de avena hasta que se formara una pasta; esta mezcla se aplicaba en las manos.

**Manzanas.** A la manzana se le consideraba como una fruta totalmente saludable, tanto, que la medicina moderna respalda el dicho de "An apple a day, keeps the doctor away".[4] Esto

---

[4] "Una manzana al día evita visitas al médico".

significa que las manzanas y el jugo de manzana contienen propiedades que acaban con los virus.

La manzana ocupaba un lugar muy importante en la medicina tradicional, y sus propiedades curativas fueron descubiertas desde la época de los griegos y los romanos. En la mitología griega, la describían como un remedio cura-todo con sabor a miel. Ayudaba al sistema digestivo, servía como laxante, para detener la diarrea o para calmar la acidez estomacal.

El consumo de manzanas servía para curar enfermedades del hígado, vesícula biliar y problemas en las vías urinarias; y como diurético. Si se cocinaban servían como remedio para curar el insomnio y los nervios, ya que funcionaban como sedantes.

Otros malestares que se trataban con manzanas eran: la artritis, la gota, los dolores de cabeza, los problemas cardíacos, la anemia, el letargo, la influenza, la fiebre y el estreñimiento.

Además, funcionaban como inhibidores del apetito. El té de manzana se preparaba con dos manzanas rebanadas y dos pintas de agua hirviendo, se dejaba reposando durante dos horas y posteriormente se colaba el líquido. Otra receta consistía en poner dos manzanas grandes y asadas en agua hirviendo, esperar a que enfriara y después colar el líquido resultante.

Las manzanas cocinadas y aplicadas externamente servían para calmar el dolor de oídos, al mezclarlas con sulfuro se formaba una pasta que curaba la sarna y la tiña, y con aceite de oliva servían para cicatrizar heridas difíciles.

La manzana cruda y rallada funcionaba como cataplasma para desinflamar ojos hinchados y venas varicosas.

**Manzanilla.** Los antiguos herbolarios la usaban como diurético y para curar la ictericia, para los cólicos menstruales, articulaciones adoloridas, asma, fiebre, insomnio y como estimulante del apetito. Funcionaba además como sedante, calmaba el dolor provocado por golpes, quitaba el salpullido y reducía inflamaciones.

*Manzanilla*

**Mareo.** Se sugería que cuando alguien fuera a navegar comiera algo antes de abordar, por lo menos esto evitaba la desagradable sensación del estómago vacío. Si a pesar de eso los malestares persistían, era conveniente tomarse una clara de huevo con un poco de brandy.

*Ver también* NÁUSEAS, VÓMITO.

**Marrubio blanco.** Se usaba en el antiguo Egipto para curar la tos. Después se aplicó como remedio contra el catarro, bronquitis y enfermedades pulmonares; curaba el estreñimiento y regularizaba el flujo menstrual. Externamente curaba heridas, golpes y enfermedades leves de la piel.

**Matricaria.** Los antiguos herbolarios empleaban esta planta para expulsar la placenta después del parto o para expulsar un feto muerto. También funcionaba como sedante, laxante, tónico, para inducir el flujo menstrual, para curar cólicos, flatulencias, indigestión, dolor de cabeza, trastornos nerviosos, dolor de oídos, mordeduras de insectos, y para levantar los ánimos en caso de depresión.

**Mejorana.** Se creía que los antiguos griegos plantaban mejorana sobre las tumbas de los muertos para asegurarse que descansaran en paz y para evitar que asustaran a los vivos. Los herbolarios consideraban que la mejorana incrementaba la fertilidad, por eso los recién casados se ponían en la cabeza guirnaldas de mejorana. En la actualidad sólo se usa como condimento en la cocina. También tenía propiedades para limpiar el cuerpo de impurezas, purificar la sangre e inducir la transpiración; era un buen remedio para el sarampión, ayudaba a quitar los cólicos, mareos y malestar estomacal; servía como sedante, para calmar los nervios, como estimulante del apetito, para aliviar bronquitis, sordera y dolor de muelas. Como linimento o cataplasma, reducía la inflamación y curaba el reumatismo.

**Melisa.** A esta planta también se le conocía como toronjil. La melisa se distinguía por sus supuestos poderes para quitar la fiebre y para cualquier enfermedad caracterizada por fiebre. Asimismo, servía para curar gripa, influenza, catarro, fiebre del heno; también ayudaba a disminuir las flatulencias, los desórdenes digestivos, los cólicos menstruales, el dolor de cabeza, el vértigo y la hipertensión.

Además la usaban para levantar el ánimo de la gente deprimida, especialmente de mujeres en la menopausia, para disminuir la ansiedad, mejorar la concentración y la memoria. Se recomendaba que los niños flojos o con mala retención, tomaran un té de melisa para estimularlos.

Ayudaba a curar heridas, a desinflamar forúnculos, a calmar la comezón de piquetes de insecto, aliviaba el eczema, inflamación de ojos y, en forma de gárgaras, aliviaba gargantas irritadas.

**Menopausia.** La ortiga, la salvia y la caléndula eran muy efectivas para disminuir algunos síntomas de la menopausia, mientras que la melisa se encargaba de disminuir la depresión característica de esta etapa, y el espino controlaba el sudor nocturno.

**Menstruación.** Generalmente, los periodos menstruales abundantes se controlaban con canela, llantén, salvia u ortiga. Otro remedio sugería tomar diariamente tres o cuatro limones para disminuir el flujo menstrual. La romaza, la borraja, la caléndula, la salvia y las zanahorias, regularizaban el ciclo menstrual; el jengibre, la mirra y los berros, inducían la menstruación en periodos retrasados. Los cólicos se calmaban con hierba cana, lavanda, agripalma, poleo, ruda y escutelaria. Los griegos y los romanos curaban la irregularidad menstrual con manzanilla.

**Menta.** Los griegos consideraban que la menta era afrodisíaca, pero también la usaban para quitar dolores de cabeza, tos, infecciones en vías urinarias y trastornos digestivos. Curaba cólicos, acidez, flatulencias, diarrea, estimulaba el apetito y evitaba el vómito. La menta también servía como relajante muscular y era un buen remedio para calmar cólicos abdominales, cólera, disentería; inducía la transpiración, bajaba la fiebre y prevenía resfriados e influenza. Mejoraba la circulación, normalizaba los latidos del corazón y aliviaba problemas del hígado. También era efectiva para curar el hipo y refrescar el aliento; al inhalarla curaba el mareo y los desmayos. Aplicada externamente, era un remedio para heridas, abrasiones, articulaciones doloridas, reumatismo y gota. El aceite de menta desinflamaba gargantas y aliviaba el dolor de dientes y de oído.

**Menta verde.** Funcionaba para eliminar los sabores desagradables de algunos remedios. También ayudaba a la digestión, a eliminar flatulencias, cólicos, dolores de cabeza y resfriados.

**Miel.** Se sabía que la miel tenía propiedades altamente nutritivas y se recomendaba para proporcionar energía a las personas. La leche hervida con un poco de miel era una buena sugerencia para los niños que no les gustara la leche. Tomar leche con miel antes de dormir funcionaba como sedante, relajante y para curar el insomnio.

En los remedios caseros consideraban que la miel era un remedio muy versátil; también aliviaba dolores de cabeza, neuralgia, artritis, tos, catarro y era expectorante. Para dolor de garganta era y sigue siendo bueno tomar miel caliente con limón. Además, tenía propiedades para descongestionar, quitar la sinusitis y la fiebre del heno.

Detenía la diarrea y el vómito, y disminuía los síntomas de algunas enfermedades como la tifoidea. Aplicada externamente servía para aliviar quemaduras y desinflamar forúnculos, ayudaba a curar llagas, úlceras y heridas. Algunas personas usaban la miel como afrodisíaco.

**Milenrama.** Su nombre botánico es *Achillea Millefolium* y su nombre se lo debe al héroe griego Aquiles; supuestamente él la usó para curar las heridas de sus compañeros después de la batalla. En los remedios caseros, colgaban hojas de milenrama sobre las cunas de los bebés para evitar la presencia de brujas, y las mujeres solteras la ponían bajo sus almohadas para soñar con sus futuros amantes.

Servía como antiséptico para curar heridas, reducía la inflamación, curaba el sangrado, el resfriado, la fiebre, inducía la transpiración, aliviaba enfermedades eruptivas como varicela y sarampión. La milenrama además mejoraba la digestión, desórdenes del riñón y del hígado, normalizaba la hipertensión, ayudaba a curar las várices, hemorroides con sangre y cistitis; funcionaba como tónico para evitar la caída del cabello y la calvicie. También servía como colirio para los ojos.

*Milenrama*

**Mirra.** La mirra era un remedio para eliminar las pulgas. Después comenzó a usarse como tónico para fortalecer, para mejorar la circulación y para descongestionar. Servía como expectorante, para curar bronquitis, catarro, resfriados, tuberculosis y erupciones cutáneas.

La mirra ayudaba a estimular el apetito, mejoraba la digestión, curaba las flatulencias, eliminaba parásitos intestinales, inducía periodos menstruales retrasados y aliviaba espasmos. También inducía contracciones del parto cuando éste ya era inminente, por eso las mujeres que tenían poco tiempo de embarazo no debían comerla. Servía para hacer gárgaras y para aliviar heridas menores.

**Mojar la cama.** Un remedio nada agradable y muy antiguo para evitar hacerse pipí en la cama consistía en darle al niño la carne hervida de un ratón; cualquier otro remedio hubiera sido menos desagradable.

Otro remedio, afortunadamente más apetitoso, era un té hecho con hierba de San Juan, llantén y miel, o si no con tomillo y miel. Con albahaca, betónica, vara de San José y tanaceto se podían elaborar diversas infusiones, al igual que con cardamomo, que además ayudaba en algunos casos de incontinencia.

Otras opciones eran: gayuba, hinojo, malva real, pensamientos y hierba de San Juan. Supuestamente también influía la posición en la que dormía el niño, se recomendaba que no durmiera boca arriba, y para lograr esto, les ataban a la espalda un carrete vacío de algodón, este remedio también evitaba los ronquidos.

**Mostaza.** Las semillas de mostaza blanca se usaban para curar trastornos digestivos y como laxante para el estreñimiento crónico; la infusión de estas semillas y agua caliente curaba la tosferina. La mostaza mejoraba la circulación, aliviaba resfriados, influenza, infecciones en el pecho, sabañones, depresión e inducía el vómito en caso de envenenamiento. La congestión por gripa y dolor en el pecho se curaban remojando los pies en mostaza caliente y la garganta irritada sanaba haciendo gárgaras con una infusión de mostaza.

**Mordeduras de serpiente.** Los griegos y los romanos usaban menta para curar mordeduras de serpientes. Un remedio muy común era hacer una atadura arriba de la mordedura y succionar ésta con la boca, cuando la herida sangrara se lavaba con amoniaco o con tintura de yodo. Para mantener despierta a la persona que hubiera sufrido la mordedura era recomendable darle un poco de sal de amonio. Un tratamiento mucho más drástico sugería llenar la herida con pólvora y sangre, prenderle fuego y así se cauterizaba la lesión.

**Mordeduras y picaduras.** *Ver* PICADURAS y MORDE-DURAS.

**Muelas, dolor de.** En los remedios caseros sugerían prevenir el dolor de muelas antes que tener que curarlo. Por eso había diversos amuletos. Un amuleto bastante macabro para prevenir el dolor de muelas, consistía en extraer la muela de un cadáver y llevarla atada alrededor del cuello. Llevar un nudo doble en el bolsillo también prevenía el dolor. Para quienes padecían dolor de muelas había remedios, sin embargo, bastante desagradables. Ningún remedio inglés era más desagradable que el egipcio, el cual sugería matar un ratón y frotarlo de inmediato en la muela.

Un remedio galés no menos desagradable que el egipcio, consistía en juntar lagartijas e insectos de helecho y pulverizarlos, remojar el dedo índice y llenarlo de este polvo, frotarlo en la muela frecuentemente hasta que el dolor desaparecía. Otro remedio menos espantoso recomendaba que el afectado se recostara del lado opuesto del que sentía el dolor, entonces se vertían en el oído que estaba del lado del dolor tres gotas de jugo de ruda; el afectado debía permanecer inmóvil durante una hora o dos y así, sucesivamente desaparecería el dolor.

El whisky era otro ingrediente para calmar el dolor de muelas; un remedio consistía en humectar una bola de algodón o de lana con whisky y colocarla sobre la muela adolorida; o remojar un papel de estraza en whisky, espolvorearlo con pimienta y aplicarlo sobre la cara justo en donde se sintiera el dolor. Esto se cubría con una franela hasta que el dolor disminuyera. Remojar un pedazo de tela en una mezcla de creosota, brandy y alcanfor de nitro; esto se creía que era otro remedio. Alternativamente, se disolvía un poco de linimento de brionia en agua tibia, esto se agregaba a un vaso de agua tibia y el enfermo se lo tomaba y lo conservaba en la boca sobre la pieza adolorida.

El jengibre fresco masticado, calmaba el dolor, o también funcionaba la infusión de jengibre molido mezclado con sales de Epsom y agua caliente; aceite de canela, una bola de lana remojada en aceite de clavo, aceite de menta, jugo de cebolla o perejil fresco, aplicados directamente, también proporcionaban alivio.

Otros remedios eran la infusión de berros que servía como enjuague bucal para aliviar el dolor; las hojas de milenrama masticadas; la infusión de manzanilla, hiniesta, lavanda, mejorana y gaulteria.

**Muérdago.** Al muérdago se le relaciona con la Navidad y con la leyenda del "beso bajo el muérdago", pero su empleo en los remedios caseros era mucho más extenso. Era una buena cura contra la epilepsia y otras enfermedades caracterizadas por convulsiones, regularizaba la presión arterial y ayudaba al tratamiento de tumores malignos.

Calmaba trastornos nerviosos, histeria, delirio, malestares en vías urinarias y artritis crónica.

*muérdago*

# N

**Nabos.** En los remedios caseros se conocía que los nabos tenían propiedades para purificar la sangre, y eran ricos en vitamina C. Se empleaban para tratar el escorbuto, aclarar la piel, proporcionar energía, curar la depresión, infecciones en vías urinarias, cálculos biliares, gota, artritis, bronquitis, tuberculosis, resfriados, catarros y tos.

Aplicados externamente como cataplasma curaban forúnculos, abscesos, sabañones, articulaciones inflamadas, gota y reumatismo.

**Náuseas.** Eran muchos y muy efectivos los remedios que se usaban para curar las náuseas: jengibre, menta, canela, clavo, manzanilla, salvia, cardamomo, limón, jarabe de escaramujo de rosa, lavanda, hojas de romero con miel y una taza de agua caliente antes de las comidas.

**Nervios, problemas de.** La col cruda y la lavanda se destacaban por tener propiedades relajantes. La canela y la milenrama calmaban la ansiedad al igual que la miel.
*Ver también* HISTERIA.

**Neumonía.** El eucalipto era un expectorante que ayudaba a expulsar las flemas en casos de neumonía. Se recomendaba a

quienes tuvieran neumonía que comieran tomillo porque calmaba la tos; las zanahorias también ayudaban.
*Ver* PROBLEMAS DE PULMÓN.

**Neuralgia.** Los síntomas de neuralgia se aliviaban con miel, manzanilla y bayas de saúco. El aceite de jengibre, de eucalipto diluido o de oliva con ajo, aplicados externamente, aliviaban el dolor de la neuralgia. Las compresas de salvia, la cataplasma de col o el ungüento de mostaza eran otras opciones. El agua de rosas con vinagre blanco formaba una loción que se aplicaba sobre la parte afectada. Otro remedio consistía en preparar un linimento con alcohol desnaturalizado, corteza de cedro, sasafrás, orégano y carbonato de amonia en polvo. Un pedazo de papel de estraza se remojaba en esta mezcla y se aplicaba en el área afectada durante poco tiempo, ya que si se dejaba un largo rato, podía causar ampollas.

**Nuez de nogal.** La corteza y las hojas del nogal curaban enfermedades de la piel como eczema y úlceras. La infusión de corteza de nogal servía como purgante para expulsar lombrices. Las nueces remojadas en vinagre aliviaban el dolor de garganta.

**Oídos, dolor de.** Una buena solución para quitar el dolor de oídos consistía en poner una pizca de pimienta en una bola de algodón, la cual se remojaba en aceite de maíz o en cualquier aceite dulce, después se introducía en el oído y se cubría con una franela para mantenerlo caliente.

Otro remedio consistía en lavar los oídos con una solución de manzanilla, y otra, que supuestamente era muy rápida y efectiva, se trataba de hervir una cebolla hasta que estuviera muy suave y la pulpa se frotaba en el interior del oído.

El dolor de oído era y es un padecimiento relativamente común, por lo que había diversos remedios para aliviarlo. Otro remedio consistía en poner sobre el fuego una rama de saúco y, de la salvia que soltara, se recolectaba una taza que se mezclaba con otra taza de jugo de puerros. Se incorporaban bien todos los ingredientes y finalmente se aplicaba al oído afectado tres veces al día.

Al poner en el oído manzana cocida, una hoja de mostaza, leche, aceite tibio de almendras, ajo, lavanda o menta se reducía considerablemente el dolor. Asimismo, la infusión de llantén curaba este malestar. Por lo general, el calor era el mejor tratamiento para el dolor de oídos; aplicar paños calientes en los oídos era otra alternativa.

**Olmo.** La corteza interna del olmo tenía diversos usos en la medicina herbolaria; se usaba como diurético, tónico, y preparado como cocimiento servía para curar el escorbuto y algunas enfermedades de la piel. La cataplasma de olmo aliviaba el dolor del reumatismo.

*Olmo*

**Olmo norteamericano.** La humedad de la corteza interna del olmo era lo que tenía propiedades medicinales. En infusiones servía como laxante y para facilitar el trabajo de parto. Aplicado externamente, desinflamaba forúnculos.

**Ombligo de Venus.** Los herbolarios de la Edad Media la usaban para curar enfermedades del riñón,[5] como su nombre en inglés lo indica y también era efectiva para el tratamiento de la gota. El ombligo de Venus es una hierba diurética y reduce la inflamación, especialmente la del hígado y del bazo; también aliviaba los síntomas de la gota, la ciática y la bronquitis.

La cataplasma de hojas maceradas curaba las hemorroides, quemaduras leves, escaldaduras, barros y úlceras; también servía para algunos padecimientos de los ojos.

---

[5] Como su nombre en inglés lo indica: *Kidneywort. Kidney* = riñón, *Wort* = hierba.

**Orozuz.** Los antiguos griegos usaban el orozuz para quitar la sed y, como es más dulce que el azúcar, los primeros herbolarios lo asaban para endulzar pócimas hechas con hierbas amargas. También servía para calmar la tos, era expectorante y curaba gargantas irritadas, pecho congestionado, tuberculosis, asma, indigestión y úlceras.

**Ortiga.** La ortiga era una excelente opción para purificar la sangre. Se usaba como afrodisíaco y, en la Grecia antigua, servía como antídoto contra envenenamiento por muérdago, escorpiones y mordeduras de serpiente. Tenía propiedades diuréticas, estabilizaba la hipotensión y ayudaba en casos de gota y artritis. Aliviaba problemas digestivos como flatulencias, úlceras, diarrea y parásitos. También disminuía el flujo menstrual y servía como tónico durante la menopausia; incrementaba la producción de leche materna.

Para vías respiratorias también era un remedio, ya que curaba catarro, asma, pleuresía, enfermedades del pulmón y fiebre. Aplicada como cataplasma ayudaba a quitar el dolor de artritis; a sanar heridas, quemaduras, piquetes de insectos, hemorragias nasales, gargantas inflamadas, y servía como tónico para el cabello.

**Orzuelos.** *Ver* VISTA, PROBLEMAS DE LA.

ula también eran buenos remedios. Los herbolarios
que una moneda de plata fabricada con dinero se

# P

**Palpitaciones.** Las infusiones de lavanda calmaban los síntomas del nerviosismo y la ansiedad, manifestados algunas veces por palpitaciones; el espino también ayudaba a calmarlas. Otras infusiones efectivas para curar este mal eran la infusión de menta, que era un tónico para el corazón, y la de borraja.

**Papa.** El jugo de papa cruda era un remedio muy común en la medicina herbolaria; curaba enfermedades del hígado, indigestión, cólicos, úlceras y estreñimiento. La papa con aceite de nuez se creía que era un remedio efectivo para eliminar parásitos intestinales. También mejoraba la circulación y algunas enfermedades cardíacas.

El jugo de papa cruda aplicado en la piel sanaba heridas, úlceras, quemaduras, párpados inflamados y padecimientos de la piel. La papa cruda ayudaba a eliminar los sabañones y molestias del bronceado; aplicada en las sienes, quitaba el dolor de cabeza.

**Parálisis.** La ortiga, además de estimular la circulación, se decía que ayudaba a curar la parálisis. El romero primavera y la prímula también eran buenos remedios. Los herbolarios pensaban que una moneda de plata fabricada con dinero relectado de diversas personas, serviría como amuleto contra la parálisis.

**Partos.** En la antigüedad se practicaban diversos métodos para facilitar el trabajo de parto, uno de ellos sugería que a los seis meses de embarazo la mujer tomara té de frambuesas, esto ayudaba a prevenir abortos y aumentaba la producción de leche. Otra opción era que durante el embarazo tomara té de linaza con un poco de miel. Para regularizar las contracciones era recomendable dar un masaje con aceite de clavo; la caléndula y la mirra ayudaban a fortalecer las contracciones, el perejil ayudaba a que el útero se recuperara después del parto, ya que estimulaba los músculos, sin embargo, se recomendaba no comerlo durante el embarazo. La manzanilla servía como relajante durante el parto.

**Pecas.** Se creía que las pecas disminuían con la aplicación de hojas maceradas o jugo de berros, al igual que con la pomada de leche agria con rábano picante, que se aplicaba con una brocha. Otra mezcla efectiva para remover las pecas era la de crema fresca con leche, jugo de limón, brandy, azúcar y agua de colonia. Después se hervía, se le quitaba la grasa y se aplicaba sobre el área donde había pecas. El muriato de amoniaco con lavanda y agua destilada también daba buenos resultados. Un remedio más complicado consistía en meter unas cuantas uvas en agua, después espolvorearlas con una mezcla de alumbre con sal, envolverlas en papel y asarlas. El jugo de estas uvas se aplicaba sobre las pecas, y también servía para eliminar el bronceado. La mezcla de limón y glicerina disminuía la coloración de las pecas.

**Pensamiento silvestre.** En primer lugar se usaba para curar la epilepsia, después para el catarro y el asma. Tenía propiedades diuréticas, regularizaba problemas en la sangre y en el corazón, y aliviaba algunas enfermedades de la piel.

**Pepino.** En los antiguos remedios caseros el pepino se usaba para reducir el calor y la inflamación ocasionados por enfermedades de los pulmones, pecho congestionado o infecciones de la piel. Servía como diurético suave para purificar el sistema y también funcionaba para curar la gota, la artritis y el eczema. El pepino aplicado externamente, servía para desinflamar la piel y los ojos irritados. También proporcionaba alivio para las quemaduras de sol y, cosméticamente se creía que evitaba la aparición de arrugas.

**Perejil.** En la actualidad conocemos el perejil como una hierba culinaria, sin embargo, en Grecia y Roma antiguas plantaban perejil en las tumbas para desear buena suerte a los muertos. Los romanos siempre llevaban ramas de perejil para sentirse protegidos y los gladiadores comían perejil para obtener fuerzas.

Los romanos sugerían que las mujeres embarazadas no comieran perejil porque corrían el riesgo de abortar; se descubrió que tenía efectos estimulantes en los músculos del útero. No obstante, se recomendaba que comieran perejil después del parto, ya que ayudaba a que el útero se recuperara y volviera a la normalidad y también estimulaba la producción de leche materna. En los remedios caseros tenía diversos usos. Las hojas maceradas del perejil se usaban para curar la peste y enfermedades caracterizadas por fiebre; aliviaba síntomas de bronquitis, asma e infecciones renales; usado como diurético, curaba la hidropesía y la ictericia; también aliviaba gota, artritis, dolor de cabeza y de muelas, nerviosismo, ansiedad, apatía, falta de energía, mala circulación, hipertensión, anemia, estimulaba el apetito y ayudaba a la digestión.

También funcionaba como antiespasmódico, para aliviar cólicos, flatulencias, comezón de piquetes de insectos, cortadas y heridas. El perejil macerado aliviaba los pezones agrietados y resecos. Además servía como tónico para darle brillo al cabello y para eliminar los piojos.

**Perifollo.** Básicamente le usaban para purificar la sangre. También ayudaba a pacientes hipertensos, a curar cálculos biliares, bronquitis, servía como diurético y digestivo. Algunos problemas menores de la piel, abscesos y úlceras se curaban con compresas de perifollo.

**Pezones sensibles.** Un antiguo remedio para este doloroso malestar era que las mujeres en periodo de lactancia comieran germinado de cebada para que secara un poco la producción de leche. Las hojas maceradas de perejil fresco aplicadas sobre el pezón irritado ayudaban a su recuperación, así como las compresas de hamamelis.

La mezcla de hierba cana y margaritas o una cataplasma de flores de manzanilla y raíces de acalia también proporcionaban alivio. El ungüento de alumbre, azúcar, vinagre y sal, hervido a fuego lento y untado en un pedazo de tela, se aplicaba sobre el área lesionada; y finalmente, una bebida preparada con verbena, betónica y agrimonia ayudaba a disminuir el dolor. Las hierbas se maceraban y se agregaban a una olla de cerveza y leche hirviendo.

**Picaduras y mordeduras.** Los romanos usaban menta para calmar la comezón ocasionada por piquetes y mordidas de insectos. Había una variedad muy extensa de remedios para aliviar estas molestias; las hojas frescas y maceradas de dife-

rentes plantas se aplicaban directamente en las zonas afectadas, entre éstas estaban el perejil, el llantén, la melisa, la
caléndula y las hojas de romaza. También servía aplicar ajo
machacado y macerado en aceite de oliva, puerros, jugo de
cebolla, té de salvia, cataplasma de col, canela, aceite de cardamomo y de lavanda, vinagre y hamamelis. En caso de piquetes de abejas, avispas o avispones, se recomendaba extraer
el aguijón y aplicar amoniaco o bicarbonato de sodio. Esto
también era efectivo para piquetes de hormigas, jejenes y mosquitos.

Otro remedio consistía en extraer el aguijón y poner compresas frías, y luego calientes en al área afectada. Otra alternativa era cubrir el área afectada con abono frío y húmedo, o
aplicar aceite de oliva en los piquetes, si esto no funcionaba,
se untaba una cataplasma; la miel también calmaba la comezón. El aceite de San Jacobo era recomendable para los piquetes de avispón. Un remedio que daba buenos resultados
para curar mordeduras de serpiente consistía en pelar cuidadosamente nueve dientes de ajo, que se agregaban a una cucharada de melaza y a dos pintas de cerveza concentrada; se
incorporaban bien todos los ingredientes. El interesado debía
tomar este líquido cuantas veces fuera necesario, mientras
tanto, debía permanecer tapado con varias cobijas para estimular la transpiración.

**Pie de atleta.** El pie de atleta es una infección manifestada
por hongos en los pies, por lo general entre los dedos. Antiguamente, este problema se trataba con vinagre, también con
aceite de clavo, ya que por ser un desinfectante natural resultaba efectivo.

El ajo machacado o en rebanadas, macerado en aceite o
como ungüento también daba buenos resultados. Otro reme-

dio consistía en lavar los pies con una solución de lampazo, o también aplicando directamente sobre el área afectada unas cuantas gotas de una mezcla de aceites de eucalipto, de almendras y de oliva.

**Piel, problemas de la.** Había muchas hierbas que curaban las enfermedades de la piel: gariofilea, betónica, borraja, lampazo, ruibarbo de pantano, manzanilla, calamento, perifollo, álcine, fárfara, consuelda, diente de león, romaza, alholva, lino, hierba cana, espino, geranio roberto, ombligo de Venus, cilandrillo, lavanda, flores de lima, ulmaria, rubia, ortiga, pensamiento, menta, llantén, prímula, frambuesa, romero, salvia, olmo norteamericano, acedera, verónica, tanaceto, berros, marrubio blanco, hamamelis, canela, limón, jugo de papa cruda, vinagre, zanahoria y nabos.

**Pimienta.** La pimienta negra se hace con los granos de pimienta secos e inmaduros. La pimienta blanca se hace con granos de pimienta maduros, remojados y sin cáscara. En los tiempos de los remedios caseros, la pimienta se usaba para curar la peste bubónica, además de infecciones con fiebre como tifoidea, cólera, viruela, escarlatina y disentería.

Desde hace mucho tiempo se usa como remedio para curar resfriados y catarro; mejoraba la digestión, bajaba la fiebre, inducía la transpiración, era diurético y estimulaba el apetito. Aplicada externamente servía como contrairritante (conocido como rubefaciente), aliviaba el dolor y la inflamación en las articulaciones causadas por reumatismo. También se usaba para curar heridas y desinflamar gargantas.

**Pimienta negra.** *Ver* PIMIENTA.

**Pimpinela.** La pimpinela servía como tónico y para aliviar enfermedades del corazón, disminuía el flujo de periodos menstruales y, aplicada en compresas, aceleraba el proceso de cicatrización de heridas y úlceras supurantes.

**Piojos.** El enjuague de canela, de jugo de perejil o de aceite de romero, eran bastante efectivos para eliminar los piojos de la cabeza. La loción de queroseno y agua en partes iguales eliminaba las liendres.

**Plaga.** Este término también se usaba para denominar a la peste bubónica, y había diversas plantas que ayudaban a curarla: la pimienta, el perejil y la cebolla. Para evitar contraer la enfermedad se recomendaba ingerir tomillo, salvia y lavanda.

**Pleuresía.** Lo primero que debía hacerse era dejar que el enfermo sangrara profusamente y que después se tomara una pinta de agua de manantial con un poco de sal de amoniaco. También se recomendaban los baños de vapor o de alcohol; además de que el enfermo debía tomar grandes cantidades de té concentrado con calamento, y permanecer en cama con varias cobijas. Esto se hacía con la intención de que el enfermo transpirara lo más que se pudiera.

El cocimiento de raíces de ortiga era un tradicional remedio contra la pleuresía. El tomillo y el espino eran otras alternativas, al igual que la borraja, que tiene propiedades expectorantes y para descongestionar.

**Polemonio.** Se utilizaba como expectorante, para curar la tos, resfriados, dolor de pecho, malestar en los pulmones y pleuresía; inducía la transpiración y bajaba la fiebre.

**Poleo.** En un principio se quemaba para matar pulgas y si se ingería en grandes dosis podía causar intoxicación. En pequeñas cantidades aliviaba el dolor de cabeza, la indigestión y trastornos nerviosos. Su empleo debía ser muy delicado. También servía como estimulante del útero, por lo que se usaba para inducir la menstruación.

*Poleo*

**Presión arterial alta.** *Ver* HIPERTENSIÓN.

**Prímula.** Según los antiguos herbolarios, los niños que comían esta planta desarrollaban poderes para ver hadas. En los remedios caseros usaban la prímula para tratar la parálisis, la gota y el reumatismo muscular. Servía para reducir la inflamación y curar golpes; también curaba heridas y cortadas.

Las infusiones de esta planta servían como tratamiento para trastornos nerviosos, insomnio, dolores de cabeza ocasionados por nervios; funcionaba como emético y eliminaba lombrices intestinales. La prímula aliviaba la congestión en el pecho y la bronquitis. Debía usarse con precaución, ya que era muy irritante y podía causar reacciones alérgicas.

**Primavera.** Los primeros herbolarios la usaban para tratar la parálisis, también funcionaba como sedante para diversos desórdenes nerviosos, para evitar el insomnio, tenía propiedades para calmar espasmos y servía como expectorante.

*Primavera*

**Psoriasis.** La corteza y la raíz del saúco servían para curar la psoriasis, aplicada externamente. El cocimiento de romaza también funcionaba como remedio, al igual que los berros, que además purificaban la sangre.

**Puerros.** Un remedio que ayudaba a eliminar las hemorroides consistía en comer puerros. Si alguien ingería algún objeto filoso era necesario que comiera puerros hervidos para evitar que el objeto lastimara el estómago o los intestinos antes de ser expulsado del cuerpo. Los puerros además curaban la tos, ya que tenían propiedades expectorantes y para descongestionar. Se usaban para curar resfriados, catarro, pecho congestionado, ronquera y garganta irritada. También servían como diurético y aliviaban los síntomas de gota, artritis y cistitis. En algunos casos curaban trastornos del sistema digestivo como cólicos y diarrea. La cataplasma de puerros era efectiva para heridas y úlceras. La pasta de hojas de puerros cocinadas y molidas servía para desinflamar forúnculos. La aplicación directa de puerros calmaba el ardor provocado por quemaduras y desinflamaba la piel; también evitaba la comezón de piquetes de insecto.

**Pulmón, problemas de.** Algunas hierbas que ayudaban a curar este padecimento eran la consuelda, la centinodia y la prímula. Para la tuberculosis, un buen remedio era la miel con rábanos picantes.

**Punzadas.** Un antiguo remedio para calmar punzadas en un costado era aplicar una mezcla de melaza y papa caliente a la zona afectada. La melaza también era ingrediente de un remedio menos agradable; éste consistía en mezclar un galón de cerveza con estiércol de un semental para que quedara una pasta espesa. Después se agregaba una onza de melaza, jengibre rebanado y sasafrás, se dejaba enfriar y se administraban de tres a cuatro cucharadas cada vez.

# Q

**Quemaduras de sol.** Frotar la piel con una fresa proporcionaba alivio, al igual que con papa rallada mezclada con aceite de oliva, o vinagre aplicado sobre la piel. Pepino con agua de rosas, flores de caléndula, glicerina, té de salvia, claras de huevo y suero de leche eran otros buenos remedios. Un antiguo remedio para aliviar las molestias del bronceado consistía en hacer una mezcla con crema, limón, brandy, alumbre y azúcar; hervirla y cuando estuviera fría, aplicarla sobre la piel. Otra solución se preparaba con uvas verdes, un puñado de éstas se espolvoreaban con una mezcla de sal y alumbre; después se envolvían en papel y se cocinaban. El jugo de las uvas se exprimía sobre la piel asoleada.

**Quemaduras y escaldaduras.** En la actualidad, se recomienda poner el área que sufrió la quemadura bajo el chorro de agua fría y dejarla así durante unos instantes. En la medicina herbolaria usaban miel y papa rallada como otras opciones. La clara de huevo batida a punto y puesta sobre la quemadura también proporcionaba alivio, al igual que aplicar bolsas de té frías. Otro remedio era la cataplasma de zanahoria cruda y rallada, así como el jugo de cebolla o una loción de puerros cocinados en leche. Las hojas frescas y molidas de llantén aplicadas sobre la quemadura aceleraban el proceso de recuperación, al igual que las hojas maceradas de ortiga y de romaza, el té de salvia y el ungüento de consuelda.

La caléndula, las flores de saúco y la milenrama eran otros remedios para las quemaduras y para minimizar las cicatrices provocadas por las mismas; la lavanda era especialmente efectiva. Hamamelis, eucalipto y glicerina quitaban el dolor y suavizaban la herida.

Otros remedios tradicionales se preparaban con carbón pulverizado y aceite de linaza; con jabón suave, aceite de linaza y como cubierta, espolvorearlo con harina de trigo. Otro consistía en empapar un trapo limpio en aceite de linaza y agua de cal, y atarlo alrededor de la quemadura. Mezclar un poco de tiza y aceite de linaza hasta formar una pasta espesa resultaba otro buen remedio, al igual que el elaborado con hojas de helecho, que se hervían a fuego lento en dos pintas de crema o de grasa vegetal. Dicha mezcla se dejaba reposar y después se untaba sobre la quemadura. No existían limitaciones en los remedios para aquellos infortunados que sufrían quemaduras.

La loción hecha con romaza amarilla, diente de león, llantén y celidonia, o la aplicación de crema o de bicarbonato de sodio inmediatamente después de sufrir la quemadura también eran recomendables.

**Quinquefolio.** Se usaba para aliviar espasmos musculares y del útero, dolores de estómago, cólicos menstruales fuertes, y los primeros herbolarios la usaban para curar algunos síntomas de la epilepsia. En forma de gárgaras curaba gargantas irritadas y como enjuague bucal aliviaba úlceras en la boca; también ayudaba a sanar abrasiones y heridas.

# R

**Rábano picante.** En la actualidad se usa como guarnición para acompañar algunos platillos, pero también era un ingrediente básico de los remedios caseros. Se decía que estimulaba el apetito y curaba las flatulencias, enfermedades de vías urinarias, resfriados, influenza, sabañones y forúnculos.

**Rabia.** Cuando alguien sufría la mordedura de un perro rabioso, se acostumbraba darle una bebida hecha con raíz de helenio en una pinta de leche hervida; esto se colaba y se dejaba enfriar. El paciente debía tomarse el líquido lo más rápido que pudiera durante seis horas. Este procedimiento se repetía los siguientes dos días.

**Resaca, para curar la.** Comer col cruda o romero servía para curar la resaca, también tomar mucha agua y comerse un huevo crudo y batido.

**Resfriados.** El jarabe hecho con fárfara era un buen remedio para los resfriados. Otra opción era la infusión de hojas de menta o de cebada con un poco de miel, o también el té de hojas de milenrama y de flores secas de saúco.

Otro antiguo remedio consistía en hervir en agua milenrama, raíz de jengibre, pimienta de cayena y agregar un poco de miel. La infusión de flores de saúco y hojas de angélica era otra alternativa. Otros remedios eran las bayas de saúco hervidas con azúcar morena y agua hasta adquirir una consistencia espesa como la miel; mojar una franela en agua hirviendo, rociarla con trementina y colocarla sobre el pecho del enfermo; frotarle las plantas de los pies al enfermo con ajo macerado y marrubio blanco; remojar los pies en agua caliente con mostaza; hacer inhalaciones de eucalipto y tomar mucha limonada.

*Ver* TOS Y VÍAS RESPIRATORIAS, INFECCIONES EN.

**Respirar, dificultad para.** El espino se usaba para facilitar la respiración, particularmente cuando se mostraba como un síntoma de enfermedad cardíaca. La mezcla de semillas de alcaravea y de anís, nuez moscada, orozuz y azúcar ayudaba a curar este padecimiento. Todos los ingredientes se molían y cada mañana y noche debía tomarse una pizca de este remedio.

**Retención de líquidos,** *ver* DIURÉTICOS.

**Reumatismo**. Según los antiguos remedios caseros, si alguien portaba una rama de saúco, estaba a salvo de padecer reumatismo. Sin embargo, había varios remedios que lo curaban; uno consistía en cortar en pedazos un apio, hervirlo hasta que estuviera suave y entonces se tomaba con agua. Otro sugería hacer una mezcla de apio hervido con leche, nuez moscada y un poco de harina. Después se servía con papas y pan tostado.

La bebida de apio también era muy efectiva para curar el reumatismo. El apio se ponía a hervir, se colaba, y el líquido se ponía en una botella bien tapada; se tomaba dos veces al día durante dos semanas. Otro remedio era tomar ron caliente con nuez moscada y pimienta, o calentar un pedazo de lana amarrándolo a una lata llena de agua muy caliente (nunca directamente en el fuego porque se corría el riesgo de que se incendiara), entonces se ponía alrededor de la articulación adolorida.

Otra opción era cubrir el área dolorida con lana caliente y encima poner un pedazo de seda con aceite.

Esto inducía la transpiración y como la lana se saturaba de aceite, tenía que cambiarse frecuentemente. Este remedio también funcionaba para la gota. La loción de aceite de linaza, aceite de trementina y esencia de alcanfor aplicada directamente a la piel era muy efectiva.

Otras opciones eran: ajo macerado, mezclado con aceite y untado, el jugo de papas hervidas aplicado en las articulaciones, la cataplasma de nabos, té de perejil antes de las comidas (también estimulaba la actividad del riñón), infusión de canela, de berros, de mostaza, de lampazo, de romaza y de ulmaria.

Los diuréticos que también se usaban para el tratamiento del reumatismo eran el jugo de limón y la infusión de diente de león o de tomillo.

**Rigidez.** Para eliminar la rigidez característica que se siente después de hacer ejercicio se recomendaba tomar un baño con agua muy caliente (lo más caliente que se pudiera tolerar) por lo menos durante diez minutos. Después se frotaba en la piel y en los músculos aceite de alcanfor dando masaje. Finalmente se tomaba un vaso de agua con salicilato de sosa antes de irse a dormir.

**Riñón, problemas del.** Muchas hierbas ayudaban a curar problemas de riñón: pimienta, jarabe de escaramujo de rosa, ulmaria, agrimonia, angélica, gayuba, betónica, hiniesta, margarita, diente de león, fumaria, vara de San José, espino, cola de caballo, hisopo, junípero, ombligo de Venus, perejil, zurrón del pastor y fresa. Una bebida hecha con agua de cal y agua de cebada perlada, ayudaba a eliminar los problemas del riñón. Otra bebida efectiva era la de hojas de ortiga hervidas en agua, coladas y fermentadas para formar cerveza de ortiga. Después se añadían clavos, jengibre, miel y azúcar morena.

La infusión de semillas de lampazo, diente de león, raíz de malvavisco y tanaceto también aliviaba los malestares.

*Ver también* DIURÉTICOS Y PROBLEMAS EN VÍAS URINARIAS.

**Romaza.** La romaza era considerada como tónico, purgante y laxante, y se decía que ayudaba a curar la ictericia. Su empleo era delicado, ya que en exceso podía causar alergias en la piel o náuseas. La romaza también servía para curar picaduras, tiña y sarna.

**Romaza amarilla.** Tenía diversas funciones en la medicina herbolaria; era un buen laxante y diurético, curaba las úlceras e infecciones intestinales, la gota, la cistitis, la icterica, la artritis y el reumatismo; disminuía problemas crónicos de la piel, regularizaba el ciclo menstrual y servía como tónico para fortalecer a los enfermos. Las semillas de romaza servían para curar la disentería, la diarrea y las hemorragias.

**Romero.** Se creía que el romero tenía poderes para protegerse de las brujas y de los espíritus del mal. Si se colocaba una rama de romero bajo la almohada, el durmiente estaría a salvo de tener pesadillas y si alguien colocaba una rama en su ropa, tendría suerte y éxito; servía como antídoto contra la peste bubónica.

El romero también curaba dolores de cabeza, resfriados, asma, cólicos, flatulencias, era expectorante, bajaba la fiebre e inducía la transpiración. Era un buen remedio para calmar los nervios, eliminar la depresión y la apatía. Estimulaba la circulación y el apetito, normalizaba la presión sanguínea, mejoraba la actividad cerebral, y por lo tanto, la concentración; se decía que también retardaba el proceso de envejecimiento. Funcionaba como diurético, curaba la artritis, la gota y mejoraba la actividad del hígado. El aceite de romero ayudaba a curar la sarna, a desinflamar y a quitar el dolor de las articulaciones y a calmar el dolor de cabeza. Con el romero se preparaba un enjuague bucal que curaba encías sangrantes; también se podía aplicar en el cuero cabelludo y prevenía la caída del cabello.

**Rosa.** Los romanos curaban las mordeduras de perros rabiosos con rosas silvestres, también comían pastillas de rosas para refrescar el aliento y se ponían guirnaldas de rosas para evitar emborracharse. Los pétalos ayudaban a aliviar cólicos y sangrado excesivo durante la menstruación; incrementaban la fertilidad y en los hombres, curaban la impotencia. También servían como diurético, por lo que eran muy efectivos para tratar infecciones en vías urinarias y en el hígado. Servían como expectorante, para curar la diarrea, infecciones en el aparato digestivo, resfriados, catarro, estreñimiento, influenza, bajaban la fiebre, inducían la transpiración y curaban la depresión.

El jarabe de escaramujos de rosa era rico en vitamina C, curaba el resfriado y hacía que los niños fueran más resistentes a contraer infecciones. Lo usaron durante la Segunda Guerra Mundial, y tenía más usos: curar dolores de estómago, cólicos menstruales, diarrea, estreñimiento, náuseas, indigestión y problemas en los riñones. El aceite de rosas humectaba labios partidos; el agua de rosas eliminaba manchas de la piel, acné y espinillas; desinflamaba los ojos, golpes y luxaciones, desvanecía las arrugas. La mezcla de agua de rosas con ácido carbólico, tintura de raíz de lirio de Florencia, ácoro y nuez moscada, daba como resultado un enjuague bucal que además desinflamaba la garganta.

**Rosa silvestre.** La fruta de esta planta es una fuente de vitamina C, la cual se aprovechaba para curar resfriados e influenza. También funcionaba como laxante, tónico y para tratar enfermedades de la vesícula biliar.

**Rubia.** En los remedios caseros básicamente la usaban para disolver cálculos renales y biliares; eliminaba la retención de líquidos, curaba infecciones en vías urinarias y servía como laxante. Externamente, ayudaba a desinfectar heridas.

**Ruborizarse.** Se recomendaba que para evitar ruborizarse demasiado se tomara medio vaso de infusión de genciana.

*Genciana*
*Se utilizaba para evitar ruborizarse*

**Ruda.** A esta planta se le atribuían poderes mágicos. Los romanos creían que quien la comiera adquiriría poderes psíquicos o se convertiría en clarividente, de hecho, era un ingrediente para rituales de magia negra. Al igual que el romero, funcionaba como antídoto contra la peste bubónica, curaba malestar estomacal, calambres musculares, desórdenes menstruales, nervios alterados e hipertensión. Si no se usaba con precaución podía causar abortos y alergias de la piel.

**Ruibarbo.** En grandes dosis el ruibarbo es laxante, y en pequeñas dosis, alivia la diarrea en los niños. Una preparación con semillas de ruibarbo estimulaba el apetito y aliviaba dolores estomacales.

**Ruibarbo de pantano.** En la antigüedad se usaba para bajar la fiebre y estimular la transpiración.

# S

**Sabañones.** Algunos remedios contra los sabañones eran angélica, ajo, glicerina, espino, rábano picante, artemisa pegajosa, cebolla, zurrón del pastor y berros. Entre otros remedios destacaban papas crudas, cataplasmas de nabos, flores de caléndula molidas o mostaza.

Otro remedio para eliminar los sabañones consistía en aplicar una loción de aceite de linaza y de trementina, mezclado con esencia de alcanfor; otro más se elaboraba con aceite de lavanda, ácido carbólico líquido y ungüento de óxido de zinc.

**Sábila.** Se usaba como purgante, para desparasitar y para estimular el flujo menstrual.

**Sal.** La sal siempre ha sido un saborizante de la comida, sin embargo, en los remedios caseros tenía más usos.

Un poco de sal con agua servía como emético en casos de envenenamiento, como purgante, como enema para eliminar las lombrices intestinales, para curar el catarro, desinflamar la garganta, las encías o las úlceras en la boca.

**Sales de Epsom.** También se les conocía como sulfato de magnesio, y son cristales transparentes e inodoros con un sabor muy amargo. Si se tomaba una pizca de estas sales con agua, tenía una acción inmediata como purgante en casos de estreñimiento crónico. También funcionaban para curar la indigestión, bilis y retención de líquidos. Tomar baños con sales de Epsom aliviaba el dolor provocado por gota y artritis.

**Salicaria.** Se decía que esta planta proporcionaba poderes psíquicos. Tenía diversas propiedades: servía como tónico, como repelente contra insectos, como antiséptico para curar heridas, hacer gárgaras, y desinflamar gargantas.

**Salvia.** Los romanos consideraban que el jugo de salvia ayudaba a que las mujeres quedaran embarazadas. Durante la Edad Media era un remedio muy complejo, ya que curaba casi todo. Era diurético, inducía el flujo menstrual, curaba cólicos, ayudaba a expulsar fetos muertos del útero, disminuía síntomas de la menopausia, retardaba el proceso de envejecimiento y hasta lo revertía.

Curaba infecciones en las vías respiratorias, catarro, sinusitis, bronquitis, asma, tonsilitis, úlceras en la garganta, encías sangrantes, nerviosismo, desórdenes estomacales, cólicos, bilis, hemorragias estomacales, disentería, diarrea, enfermedades del hígado, gota, artritis, heridas, cortadas, llagas, úlceras, piquetes de insectos, luxaciones, articulaciones inflamadas y mejoraba la digestión.

**Sangrado.** En tiempos de la medicina herbolaria se descubrieron algunos remedios para detener el sangrado; la milenrama era una opción. Se dice que el héroe griego Aquiles la usó para curar las heridas de sus compañeros. Otro remedio muy popular era colocar una telaraña sobre el sangrado, y en algunas ocasiones se acompañaba de un vendaje hecho con azúcar morena, o con arroz pulverizado envuelto en un paño. A veces daba resultado espolvorear un puñado de harina, o una mezcla de harina y sal sobre el sangrado.

Para detener la hemorragia nasal y el flujo menstrual abundante, era muy efectiva la canela. Para encías sangrantes y orificios nasales era recomendable aplicar unas gotas de limón.

El vinagre, el alcohol, el té (por sus propiedades astringentes), el hamamelis y el aceite de eucalipto detenían el sangrado de heridas. Aplicados de manera externa sobre las hemorragias servían el llantén, las hojas de romero, las hojas de ortiga, y las flores y hojas de caléndula y ulmaria; aplicados de manera interna funcionaban la consuelda y la rosa, que también servía para encías sangrantes.

Había otra cura un poco más complicada, ya que tenía que hacerse en el mes de mayo. El interesado humedecía un pedazo de tela en hueva de rana durante nueve días, dejándolo secar con el aire a diario. Cada día se aplicaba el pedazo de tela remojado en este remedio hasta que fuera necesario.

*Ver* también NARIZ.

**Sanicala.** Esta hierba contenía grandes propiedades medicinales. Tomada internamente curaba la difteria y garganta irritada; como tónico, detenía hemorragias internas; y aplicada externamente curaba úlceras en la boca y quemaduras.

**Sarampión.** Comer berros era un buen remedio para curar el sarampión, al igual que un cocimiento de lampazo, el cual inducía la transpiración y bajaba la fiebre. Las infusiones calientes de caléndula, milenrama, mejorana, mirra y flores de saúco ayudaban a inducir la transpiración y a que brotara la erupción del sarampión.

**Sarna.** La sarna es un padecimiento de la piel manifestado por mucha comezón y causado por una garrapata parásita. La cataplasma de berros con aceite de romero diluido, aceite de manzana hervida, vinagre, ácido carbólico y bicarbonato era un remedio para curar la sarna. También funcionaba darse baños con un jabón suave con agua caliente y frotar el cuerpo con un cepillo. Cuando la piel estuviera seca se aplicaba un ungüento ligero de azufre y se dejaba así durante doce horas. Cualquier prenda que hubiera usado un paciente con sarna se debía hervir.

**Sauce blanco.** La corteza y las hojas del sauce blanco se usaban en la medicina herbolaria. La corteza ayudaba a bajar la fiebre en algunas ocasiones, y curaba trastornos digestivos, disentería, diarrea y lombrices. También funcionaba como tónico para la recuperación de los enfermos.

**Saúco.** La corteza, hojas, flores y bayas del saúco se usaban en la medicina herbolaria, por lo que se convertía en un remedio muy versátil que se ha usado desde hace cientos de años. Una vieja superstición contaba que si se recolectaban ramas de saúco el primero de mayo servían para curar la mordedura de un perro rabioso. Otra superstición relataba que si se llevaba una ramita de saúco en el bolsillo, se prevenía el reumatismo. La corteza de este árbol era un purgante muy fuerte, y en dosis mayores, servía como emético. La tintura que salía de la corteza aliviaba los síntomas del asma, la difteria y, en algunos casos, de la epilepsia. Las hojas servían como purgante y diurético, ayudaban a expulsar las flemas y a inducir la transpiración. Además, aplicadas externamente aliviaban luxaciones, golpes, sabañones, heridas abiertas, hemorroides y dolor de cabeza (si se aplicaba en las sienes).

Si se preparaba un té con la raíz del saúco, se lograba una cura contra la hidropesía. Preparada como ungüento, curaba el eczema y la psoriasis, y elaborada como cocimiento funcionaba como enjuague bucal. Las flores de saúco servían como un astringente muy suave y lo usaban para hacer lociones para la piel. Las flores secas se usaban para elaborar un té que servía como laxante y que además ayudaba a inducir la transpiración. Un té de flores de saúco, antes de ir a dormir, era un remedio muy efectivo para curar resfriados, laringitis, tonsilitis, sinusitis e influenza, ya que tenía propiedades para descongestionar y expulsar las flemas.

Supuestamente, también tenía propiedades relajantes y curaba los síntomas del asma. La infusión caliente de flores de saúco en ayunas servía para purificar la sangre, para aliviar enfermedades como sarampión y varicela y además curaba el salpullido. Por sus propiedades diuréticas ayudaba a eliminar la retención de líquidos y por lo tanto, enfermedades como gota y artritis.

Muchas cataplasmas, ungüentos y lociones para reducir la inflamación, curar heridas, aliviar quemaduras y escaldaduras, suavizar manos agrietadas y eliminar sabañones, se hacían con flores de saúco. Las frutas de esta planta, además de que se aprovechaban para hacer vino, se usaban para curar resfriados y tos, y servían como laxantes. Como infusión servían para la neuralgia y la ciática. Los herbolarios de la época medieval las usaban para inducir la menstruación.

También conocido como *ground elder*. Una infusión de hojas frescas funcionaba como diurético, sedante y analgésico. Aliviaba los síntomas de la gota, la ciática y el reumatismo.

**Serbal.** En la época de los remedios caseros se creía que esta planta mantenía alejadas a las brujas y a los poderes del mal.

Las frutas del serbal servían como diurético y purgante; con ellas también se hacía una infusión que al hacer gárgaras desinflamaba la garganta.

**Solitaria.** Un remedio para eliminar esta lombriz, consistía en tomar una solución con sal en la noche y un trago de sábila amarga por la mañana. Otro remedio que parecía ilógico (sin embargo se practicaba) era hacer que el paciente con la solitaria ayunara durante tres o cuatro días, teniendo que aguantar el hambre cuando alguien cocinaba algo apetitoso. Supuestamente, después del ayuno, la solitaria tendría tanta hambre que saldría por la boca del enfermo para comer algo.

**Somnolencia.** *Ver* INSOMNIO.

**Sudor.** Antes de que se inventaran los desodorantes y los antitranspirantes se recomendaba lavarse las axilas dos veces al día con jabón de alquitrán o con jabón carbólico, y después espolvorearlas con ácido bórico. También funcionaba que los calcetines se metieran en una loción borácica y después se dejaran secar.

*Ver también* TRANSPIRACIÓN.

# T

**Tanaceto.** También se le conocía en inglés como "hierba de lombrices"[6] porque servía para eliminar lombrices intestinales, especialmente en niños. En la antigüedad se esparcía tanaceto en los cadáveres o en las mortajas para evitar la presencia de gusanos; si se untaba en la carne las moscas no se acercaban. Aunque fuera para eliminar lombrices, se recomendaba usar la dosis adecuada para evitar irritación severa. Curaba trastornos digestivos, náuseas, nerviosismo, histeria, epilepsia e inducía el flujo menstrual. Aplicado externamente aliviaba golpes, enfermedades de la piel, luxaciones e inflamación.

**Té.** La planta del té es muy conocida y usada en China desde hace miles de años por sus propiedades medicinales. En la antigua Grecia la utilizaban para curar bronquitis, asma y resfriados. Funcionaba para estimular el sistema general, curar la fatiga, y proporcionar un buen estado de ánimo. Tenía propiedades para estimular la circulación, curar asma, catarro, sinusitis, eliminaba la retención de líquidos, curaba la diarrea. Evitaba enfermedades cardíacas y retardaba el proceso de envejecimiento.

---

[6] *Wormwort.- Worm* - lombriz, *wort* - hierba.

Aplicado externamente, servía para curar quemaduras, escaldaduras y úlceras en la piel, detenía las hemorragias, curaba encías sangrantes y desinflamaba los ojos. El enjuague bucal curaba úlceras.

Los tés o infusiones de hierbas son muy populares en la actualidad, ya que hay mucha gente que quiere evitar la cafeína, y el té sirve como una bebida alternativa. Hay una variedad muy extensa en el mercado; sin embargo, estos tés de hierbas en un principio se tomaban sólo con propósitos medicinales. Curaban todo tipo de enfermedades y padecimientos.

**Té de melisa.** También se le conocía como té de toronjil y servía como estimulante; se le daba a los niños pequeños para darles energía.

**Té de manzanilla.** Tenía efectos relajantes, evitaba el insomnio, estimulaba el apetito, mejoraba la digestión, curaba las flatulencias y la indigestión.

**Té de consuelda.** Curaba la anemia, el asma y la gastritis.

**Té de flor de saúco.** Se recomendaba tomarlo en cuanto se empezaran a sentir las molestias del resfriado; inducía la transpiración.

**Té de espino.** Se recomendaba para mejorar la salud en general y calmar los nervios.

**Té de linaza.** Se hacía con lino y orozuz; calmaba la tos.

**Té de agripalma.** Servía como estimulante para mentes cansadas y mejoraba la concentración.

**Té de perejil.** Si se tomaba con frecuencia, estimulaba la actividad renal, curaba el reumatismo.

**Té de menta.** Con miel curaba resfriados; también eliminaba las náuseas y las flatulencias.

**Té de salvia.** Curaba infecciones del sistema respiratorio y gargantas irritadas. También se preparaban tés de romero, madreselva y llantén, y casi siempre se endulzaban con miel. El té también servía para hacer gárgaras y como enjuague para el cabello.

**Té de fresa.** Curaba la gota y problemas de riñón; eliminaba lombrices intestinales.

**Té de tomillo.** Descongestionaba el pecho y aliviaba gargantas irritadas.

**Té de milenrama.** Por lo general se administraba antes de dormir en casos de resfriados fuertes. Este té se preparaba con hojas de milenrama y flores de saúco.

Algunas veces también se preparaba con jugo de carne o con consomé de pollo, estos servían para fortalecer y ayudar a la recuperación de los enfermos.

**Tétanos.** Un antiguo remedio para el tétanos era verter sobre la herida que hubiera causado esta enfermedad, un poco de trementina tibia. Otra solución era quemar un pedazo de lana, y ahumar la herida con el humo que saliera.

Para prevenir el tétanos, se sugería hacer que sangrara mucho la herida hasta que el área quedara entumecida; otra receta para hacer sangrar la herida era golpearla ligeramente y varias veces con un palo o con un cuchillo sin filo.

**Tifo.** La pimienta, el vinagre y el ajo ayudaban a curar esta enfermedad, gracias a sus propiedades antisépticas.

**Tiña.** El bicarbonato de sodio con vinagre concentrado y aplicado en las áreas afectadas era una opción; cortarse el cabello, aplicarse trementina, lavarse la cabeza con jabón carbólico, enjuagarse bien y aplicar yodo diluido en las áreas afectadas era otro remedio para aliviar la tiña.

**Tobillos débiles.** Algunas enfermedades, como la escarlatina, dejaban al enfermo con los tobillos débiles, y un remedio no muy común consistía en que el paciente tomara una ostra con su mano derecha y que diera un masaje frotando sus tobillos hasta que la ostra casi hubiera desaparecido. Esta curación tenía que llevarse a cabo todas las noches hasta que se fortalecieran los tobillos.

**Tobillos, dislocación de.** *Ver* LUXACIÓN.

**Tomillo.** En los remedios caseros se creía que tomando un elixir de tomillo se podían ver hadas. En la medicina herbolaria, el tomillo servía como antiséptico, era expectorante, curaba bronquitis, asma, tosferina, pleuresía, neumonía y gargantas irritadas. El tomillo con canela y miel era un remedio efectivo para la bronquitis.

Aliviaba cólicos y flatulencias, mejoraba la digestión, estimulaba el apetito, curaba disentería, diarrea, gota, infecciones en vías urinarias, nerviosismo, ansiedad, insomnio y depresión. Aplicado externamente, aliviaba piquetes y mordeduras de insectos, dolores musculares; las inhalaciones de tomillo curaban resfriados, catarro, sinusitis y asma; como enjuague bucal y gárgaras, desinflamaba gargantas.

**Tos.** Lo más común para caimar la tos era tomar miel con limón, también se usaba ajo, puerros, cebollas, ortiga, aceite de oliva, col, romaza, zanahorias, nabos, consuelda, romero, lavanda, tomillo, melisa, linaza, glicerina, menta y eucalipto.

Había muchos remedios para curar la tos, uno consistía en hacerle un hoyo a un limón y llenarlo de miel, después se asaba y el enfermo exprimía el limón para tomarse el jugo.

La infusión de hojas de fárfara con miel, o el jarabe de hojas de fárfara e igual cantidad de hojas de llantén y miel, o el de agua hirviendo con hojas de fárfara, ajo y azúcar morena. Estos eran sólo unos cuantos remedios de los muchos que existían para curar la tos.

Otras recetas eran: salvia seca con vinagre y miel; salvia seca con jengibre, azúcar morena y agua; mantequilla, miel y vinagre caliente; hisopo, cuerno de ciervo, aceite de almendras, azúcar y vinagre; y marrubio, hojas de malvavisco, hisopo, gordolobo y cilantro.

Otro remedio efectivo pero no tan fácil de llevar a cabo consistía en mezclar hojas de puerros con un poco de leche materna; y finalmente uno bastante desagradable, que consistía en hervir dos o tres caracoles en agua de cebada.

*Ver* BRONQUITIS, EXPECTORANTES E INFECCIONES EN VÍAS RESPIRATORIAS.

**Tosferina.** El tomillo, la infusión de ajo y el aceite de clavos combinado con aceite de oliva, frotados en el pecho, aliviaban la tosferina. Ingerir un cocimiento de eucalipto o inhalar aceite de eucalipto en agua, daba muy buenos resultados. Otra sugerencia era llenar una tetera con agua y una cucharada de ácido carbólico, ponerla cerca del enfermo y dejar que hirviera para que el vapor impregnara toda la habitación.

La mezcla de alumbre en polvo y azúcar tomada ayudaba a la recuperación del enfermo; otra opción era la mezcla de ron antillano, aceite de semillas de anís y jugo de limón; y para no perder la costumbre, también había unas sugerencias poco comunes, como introducir durante un momento la cabeza de una rana o de un sapo en la boca del enfermo, o meterse también a la boca un pescado que después se tiraba al río. Se pensaba que la corriente del río se llevaba la tosferina. Una mezcla de cochinillas maceradas y leche materna, administrada todas las mañanas durante varios días era otra sugerencia, aunque las probabilidades de que alguien quisiera probarla eran muy bajas. Un remedio menos desagradable, pero no menos raro, recomendaba que el enfermo pasara tres veces por debajo de la panza de un burro y luego otras tres veces por encima del burro.

**Transpiración.** Diversas plantas funcionaban para inducir la transpiración, y para bajar la fiebre. Entre estas plantas destacaban la pimienta, la canela, el jengibre, el limón, los clavos, el ajo, la cebolla, el perejil, el llantén, la ortiga y el lampazo; las infusiones calientes de milenrama, romero, rosas, caléndula, ulmaria, melisa y lavanda; el alcohol frotado inducía la transpiración, al igual que el cocimiento de espino, la menta y el eucalipto.

**Trébol de pantano.** Esta planta se usaba como tónico, disminuía la fiebre, el estreñimiento y el malestar intestinal. Servía como remedio para el reumatismo, problemas de la piel e hinchazón glandular. En algunas regiones lo usaban para curar el malestar estomacal y las úlceras.

**Trinitaria.** *Ver* PENSAMIENTO SILVESTRE.

**Tuberculosis.** A la tuberculosis también se le conoce como TB y anteriormente la llamaban "consunción". Algunos remedios efectivos para curarla consistían en comer huevos crudos o tibios, esto fortalecía la condición del enfermo. También se recomendaba administrar jugo de nabos, zanahorias y mirra, la cual tenía propiedades expectorantes y para descongestionar.

# U

**Úlceras externas.** Para curar úlceras en la piel se recomendaba macerar hojas de prímula, con la misma cantidad de flores de esta planta y hervirlas a fuego lento con manteca, sin sal, hasta que las hierbas estuvieran crujientes; se dejaba reposar la mezcla y se aplicaba directamente al área lesionada.

Otro remedio consistía en rallar zanahorias y hacer una cataplasma que se aplicaba en la úlcera. Las cataplasmas de berros, de col, de lampazo y de consuelda, también eran efectivas para aliviar úlceras. Otros ingredientes que se aplicaban en la superficie de la piel eran: miel, jugo de papa, té, infusión de flores de diente de león, manzanilla o lavanda diluida, aceite de eucalipto, té de salvia, infusión de hojas machacadas de caléndula, milenrama, flores de saúco y borraja.

**Úlceras internas.** Para aliviar úlceras en la garganta una buena opción era tomar agua hervida endulzada con miel, o una mezcla de alumbre en polvo, claras de huevo y tintura de alcanfor. Para úlceras bucales se recomendaba una solución diluida de agua con sal o té de salvia. Los enjuagues bucales de romaza y de ulmaria también eran efectivos.

Para aliviar úlceras pépticas se recomendaba ingerir jugo de papa, manzanas, zanahorias, aceite de oliva, manzanilla, ulmaria y caléndula. La infusión de caléndula curaba úlceras gástricas y duodenales.

**Úlceras por decúbito.** Se acostumbraba frotar con alcohol la zona lesionada para aliviar la úlcera. El hamamelis también daba buenos resultados, en forma de cataplasma o aplicado con compresas.

**Úlceras pépticas.** *Ver* ÚLCERAS INTERNAS.

**Ulmaria.** Se acostumbraba usar la ulmaria para dar sabor al aguamiel, y en los remedios caseros se decía que provocaba un sueño tan profundo que podía causar la muerte. La ulmaria era un buen remedio para aliviar malestar estomacal, úlceras, cólicos, acidez, diarrea, hidropesía, problemas en la sangre, fiebre y escalofríos. En algunas ocasiones se usaba para calmar el dolor ocasionado por artritis y reumatismo.

# V

**Valeriana.** Se consideraba a la valeriana como un remedio cura-todo. En los inicios de los remedios caseros se usaba como afrodisíaco y se creía que proporcionaba poderes psíquicos. Las ratas se sentían atraídas por esta planta, por eso el flautista de Hamelin llevaba consigo ramas de valeriana, para que las ratas lo siguieran. Su principal uso como remedio era para curar los nervios, tranquilizar y sedar; calmaba la histeria, curaba el insomnio y el dolor, ayudaba a aliviar las convulsiones de la epilepsia. El aceite de valeriana se administraba en casos de cólera y para mejorar la visión.

*Valeriana*

**Vara de San José.** Los antiguos herbolarios curaban heridas con esta planta, después la usaron como diurético y para disolver cálculos en el riñón y en la vesícula. Ayudaba a detener el vómito, era un buen digestivo y curaba la difteria. También calmaba los cólicos y estimulaba el flujo menstrual en casos de amenorrea; aliviaba los síntomas del catarro, servía como antiséptico e inducía la transpiración.

*Vara de San José*

**Vejiga irritable.** Para curar los molestos síntomas de una vejiga irritable, se preparaba un cocimiento de semillas de perejil o de milenrama.

**Venas varicosas.** La cataplasma de consuelda, la infusión o las flores frescas y maceradas de caléndula, la milenrama y las compresas o cataplasma de hamamelis; todas eran opciones para aliviar las molestias de las várices.

**Ventosidad.** *Ver* FLATULENCIAS.

**Verbena.** En la antigüedad se le conferían diversos poderes a esta planta, supuestamente, tenía el don de abrir puertas. También se decía que si alguien colgaba de su cuello una rama de verbena, no tendría pesadillas, se usaba para hacer pócimas de amor por sus propiedades afrodisíacas. Como remedio medicinal funcionaba como antídoto contra el veneno y para curar mordeduras de perros rabiosos y de serpientes. Los herbolarios antiguos también la empleaban para limpiar el cuerpo de impurezas, calmar los nervios, la histeria y animar a las personas deprimidas. Curaba la anemia, las úlceras, la pleuresía, la fiebre intermitente, los espasmos musculares, desórdenes de la vista, e incrementaba la producción de leche materna. Aplicada como cataplasma curaba dolor de oídos, de cabeza, reumatismo y hemorroides.

*Verbena*

**Verónica.** Se usaba para curar enfermedades de la piel, dolor de estómago, era diurético, curaba la bronquitis y algunos problemas respiratorios.

**Verrugas.** Algunos remedios contra las verrugas eran los jugos de cebolla, diente de león, puerros, gordolobo, ruda y hierba de San Juan. También funcionaba la infusión de las flores frescas y maceradas de caléndula y el aceite de canela. Estas opciones se frotaban sobre la verruga en la mañana y en la noche, con el fin de que desaparecieran. Otra alternativa era frotarlas con papa cruda o aceite de ricino. La pimienta y el jugo de tomillo hervidos en vino y el jugo de raíz de cardencha en vino, también funcionaban como remedios para eliminar verrugas, al igual que las mezclas de trigo con sal o de cenizas de corteza de sauce con vinagre.

*La raíz de cardencha servía para quitar verrugas*

Otros remedios más originales consistían en atar alrededor de la verruga un pelo de caballo y frotar telarañas, sangre de cerdo, jugo de hormigas o sangre de anguilas. Casi todos estos remedios sugerían enterrar lo que hubiera sido frotado en la verruga, porque creían que así desaparecería. Otro remedio consistía en abrir la verruga, frotarle una manzana ácida y después enterrarla, o frotar un pedazo de carne y enterrarlo. Si el pedazo de carne era robado, sólo debía frotarse y después tirarlo a la basura. También funcionaba frotar y enterrar una rebanada de tocino o un haba cochinera.

**Vértigo.** El tomillo era el remedio tradicional para el vértigo. Después se empezaron a usar el espino, la melisa y la alholva. A las personas que sufrían de vértigo frecuente se les recomendaba tomar té de salvia endulzado con miel, o una infusión de prímula hervida en agua y endulzada con miel.

**Vesícula biliar, problemas de.** Algunas plantas que ayudaban a curar este problema eran la betónica, la caléndula, la peonia, la anagalis, la verbena, el diente de león, la milenrama, las manzanas, el aceite de oliva, agracejo, la achicoria, la centinodia, la menta, las papas y los limones.

**Vías respiratorias, infecciones en.** El clavo, las zanahorias y el aceite de oliva eran efectivos para el tratamiento de las enfermedades en vías respiratorias, al igual que los nabos, la ortiga y la salvia.
    Ver también ASMA, RESFRIADOS, TOS.

**Vías urinarias, desórdenes en las.** El diente de león era un remedio muy común para curar desórdenes en las vías urinarias, al igual que el clavo, los puerros, las cebollas, el llantén, la consuelda, la melisa, el tomillo, el eucalipto, el té de linaza y el limón.

**Vinagre.** El vinagre era un remedio muy versátil. Hace mucho tiempo se usó para curar algunos desórdenes en las vías respiratorias, como catarro; también servía para bajar la fiebre, curar gargantas irritadas y laringitis. Calmaba las molestias de la cistitis; tomado con agua funcionaba como antiséptico para curar la escarlatina, disentería y tifo; desinfectaba heridas y aceleraba el proceso de cicatrización, detenía el sangrado, desinflamaba luxaciones, golpes y picaduras.

Curaba algunas enfermedades de la piel como eczema, erupciones, tiña, pie de atleta, y mezclado con pétalos de rosa, aliviaba las quemaduras de sol. A las personas que padecían dolores de cabeza se les sugería aplicar en la frente compresas con vinagre.

**Violeta.** Se conocía que esta planta curaba la bronquitis, el catarro y el asma, tenía propiedades diuréticas, servía como laxante, curaba la fiebre palúdica, la epilepsia, la pleuresía, la ictericia y el insomnio. Algunas veces funcionaba como analgésico y a principios de 1800 servía como remedio contra el cáncer.

**Viruela.** La pimienta y la ulmaria eran remedios efectivos para curar la viruela. Otro remedio consistía en mezclar una cucharada de cremor tártaro con media pinta de agua caliente. Finalmente, había una cura bastante desagradable que sugería darle al enfermo un ratón frito. Hubiera sido preferible para el ratón que lo frieran vivo.

**Visión.** Las zanahorias son una buena opción para mejorar la visión y el brillo de los ojos. Los primeros herbolarios utilizaban el romero y la lavanda para fortalecer la visión. Una sugerencia para mejorar la vista consistía en aplicar un chorro de agua con sal en el párpado, o también rociar los ojos con té helado o con agua fría con un poco de sales de Epsom. Se recomendaba que los hombres que sufrieran de problemas de la vista, se abstuvieran de tener relaciones sexuales. Para la ceguera se sugería hacer una cataplasma de hojas de apio. Si la ceguera únicamente afectaba un ojo, por decir el derecho, se ponía la cataplasma de apio en la muñeca izquierda. Cuando ambos ojos estaban afectados, la cataplasma se ponía en ambas muñecas.

**Vista cansada.** Para reducir la hinchazón ocasionada por vista cansada, se recomendaba aplicar papa cruda sobre el ojo; las infusiones frías de flores de saúco, de hojas de frambuesa, de malvavisco y de hierba cana servían como colirio. Una receta más complicada sugería mezclar mantequilla o grasa vegetal con miel y la clara de un huevo, y se untaba en el ojo; y finalmente se proponía un remedio efectivo pero cuyos ingredientes eran difícil conseguir. Se necesitaba leche materna de dos mujeres diferentes, ésta se aplicaba en los ojos.

**Vista, problemas de la.** Para desinflamar los ojos se acostumbraba aplicar una cataplasma de manzana cruda y rallada sobre los ojos. El jugo de pepino (el cual hasta la fecha se usa para tratamientos de belleza caseros), y el hamamelis, eran antiguas curas para ojos inflamados.

La infusión de llantén servía como colirio para aliviar párpados hinchados, la raíz de consuelda desinflamaba los ojos. El agua de rosas, de romaza o de milenrama eran otras opciones para desinflamar. La comezón en los ojos parecía disminuir con una loción de ulmaria, el aceite de melisa reducía la inflamación y el aceite de ricino ayudaba a extraer cuerpos extraños del ojo. Los orzuelos en los ojos se aliviaban aplicando una cucharadita de una cataplasma de té, o que rociaran el ojo con leche tibia y agua, o con agua tibia de amapola. Otro antiguo remedio sugería tomar un poco de sales de Epsom con un poco de jugo de limón para curar los orzuelos, que supuestamente eran una señal de mala salud. Por eso se recomendaba que quienes los padecieran tomaran quinina o tónico de hierro.

Otra solución para desinflamar era con papa rallada, mezclada con un poco de aceite de oliva y aplicada sobre el ojo. La decoloración alrededor de los ojos se podía aliviar con la raspadura de la raíz de sello de Salomón mezclada con un poco de vinagre; esto se aplicaba sobre el área afectada.

Otras hierbas que no se han mencionado pero que tenían efectos benéficos para mejorar la vista eran: angélica, betónica, borraja, calamento, primavera, matricaria, lila, alheña, amapola, salvia, buglosa y marrubio blanco.

**Vómito.** La miel servía para aliviar el vómito y otros malestares. Las infusiones de hojas de eucalipto y de semillas de cardamomo también aliviaban este malestar. Se recomendaba tomar mucha agua, ya que con el vómito se corría el riesgo de sufrir deshidratación.

Para inducir el vómito se recomendaba comer sal o mostaza, y para inducirlo en casos de envenenamiento se sugería una mezcla de vinagre y sal.

Ver también NÁUSEA.

**Vulneraria.** Como su nombre en inglés lo indica[7] ayudaba a curar las heridas. Las hojas maceradas y aplicadas directamente detenían el sangrado y aceleraban la cicatrización. Tomada internamente curaba hemorragias, disentería, gota, dolor de articulaciones, calambres y vértigo.

---

[7] *Woundwort.- Wound* = herida, *wort* = hierba.

# Y

**Yodo.** El yodo es una sustancia que se emplea en los remedios caseros desde hace más de cien años. Se usaba para desinfectar heridas y para prevenir que éstas se infectaran.

# Z

**Zanahorias.** Se usaban y hasta la fecha se siguen usando como remedio para diversos malestares. La cura más conocida era para mejorar la vista, también regulaban la circulación, el ciclo menstrual e incrementaban la producción de leche materna. Se consideraba que estimulaban el apetito y curaban diversos trastornos digestivos como flatulencias, cólicos, úlceras, estreñimiento, diarrea y hemorroides. Las usaban para eliminar la retención de líquidos y para aliviar la cistitis, la gota y la artritis; tenían propiedades expectorantes y funcionaban para diversas enfermedades respiratorias.

Como cataplasma, ayudaban a acelerar la cicatrización de heridas, úlceras, forúnculos, orzuelo, eczema y sabañones.

**Zarzamora.** En Escocia básicamente se le conoce como zarza. Las raíces y las hojas se usaban para tratar la disentería, la diarrea y las hemorroides. Asimismo, la tosferina y los resfriados con fiebre.

**Zuzón.** Con las hojas de esta planta se hacían cataplasmas que suavizaban y desinflamaban la piel; también ayudaban a calmar el dolor de articulaciones adoloridas provocado por gota, ciática y reumatismo. El jugo de zuzón servía para aliviar quemaduras, llagas, úlceras e inflamación de los ojos. La raíz preparada como cocimiento curaba golpes internos; y como gárgaras, curaba úlceras en la garganta y en la boca.

# REMEDIOS CASEROS PARA DESMANCHAR

**Café.** Se recomendaba frotar glicerina sobre la mancha, luego se lavaba la prenda con agua templada y se planchaba por el reverso cuando estuviera seca. Otra opción era desmanchar la prenda con la espuma de una clara de huevo batida en un poco de agua.

**Cera.** Para quitar cera de la ropa se sugería poner dos capas de papel de estraza sobre la mancha y presionar con la plancha tibia el área afectada. La cera se derretía y se quedaba pegada en el papel.

**Hierro oxidado.** Un remedio tradicional para eliminar las manchas de óxido de la tela, sugería cubrir la mancha con sal y agregar unas gotas de limón. Así se dejaba durante media hora y la prenda se remojaba en una solución diluida de amoniaco, después se enjuagaba con agua.

**Leche.** Según un antiguo remedio, la mejor manera de sacar las manchas de leche era remojando la prenda en alcanfor.

**Medicamentos.** Para remover manchas de medicamentos de las cucharas de plata se recomendaba frotarlas con un lienzo remojado en una solución diluida de ácido sulfúrico; después se lavaban con jabón. Las manchas en la ropa se quitaban con amoniaco o con arcilla de Batán.

**Sangre.** Las manchas de sangre desaparecían con un poco de almidón disuelto aplicado sobre la mancha. Después de varias horas se lavaba la prenda.

**Sudor.** Se recomendaba sumergir la prenda en una solución de agua tibia con amoniaco, se dejaba así durante media hora y se exprimía. Si después de esto la mancha no había desaparecido, se agregaban unas gotas de limón y se enjuagaba con agua.

**Tinta.** Se recomendaba rociar la mancha de tinta con jugo de tomate enlatado, dejarlo así durante diez minutos y lavar la prenda. La mancha también desaparecía si la prenda se remojaba en leche tibia, se espolvoreaba el área manchada con harina de maíz y un día después se cepillaba.

Una solución para remover la tinta del lino, consistía en poner sobre la mancha un pedazo de sebo, dejar que se derritiera y después lavar la tela.

**Vino.** Las manchas de vino se eliminaban poniendo la tela en leche hirviendo y luego se lavaba con agua y jabón. Si la mancha no había desaparecido por completo, se añadía un poco de sal y unas gotas de limón.

Si no había muchos recursos disponibles cuando la prenda se manchaba, se recomendaba ponerle sal de inmediato y cuando se pudiera, seguir el procedimiento indicado.

# ÍNDICE

INTRODUCCIÓN ........................................................... 5

A ................................................................................. 7

B.................................................................................. 25

C ................................................................................. 29

D ................................................................................. 43

E.................................................................................. 47

F .................................................................................. 55

G ................................................................................. 63

H ................................................................................. 69

I................................................................................... 77

J................................................................................... 81

L.................................................................................. 83

M................................................................................. 89

N ................................................................................. 101

O ................................................................................. 103

P .................................................................................. 107

Q ................................................................................. 117

R .................................................................................. 119

S ................................................................... 127

T ................................................................... 133

U ................................................................... 141

V ................................................................... 143

Y ................................................................... 151

Z ................................................................... 153

REMEDIOS CASEROS PARA DESMANCHAR ......... 155

# TÍTULOS DE ESTA COLECCIÓN

Adelgazar. Una decisión de peso
Cómo entender y aliviar el estrés
Cómo entender y aliviar la depresión
Cómo relajarse
El cuidado del gato
El cuidado del perro
Guía de aromaterapia
Guía de calorías
La salud de los niños
La salud del hombre
Lenguaje corporal
Medicina alternativa I
Medicina alternativa II
Practicando Yoga
Primeros Auxilios
Reconociendo los síntomas
Reflexología y otras terapias
Remedios caseros
Todo sobre las alergias
Vitaminas y minerales

**Impreso en los talleres de**
**Trabajos Manuales Escolares,**
**Oriente 142 No. 216**
**Col. Moctezuma 2a. Secc.**
**Tels. 5 784.18.11 y 5 784.11.44**
**México, D.F.**